Talk Chinese Series
Office Talk

脱口说汉语
职场口语

主编：李淑娟
本册作者：杨利红
英文改稿：Jenny Yang
插图：宋琪

华语教学出版社
SINOLINGUA

First Edition 2007

ISBN 978-7-80200-380-4
Copyright 2007 by Sinolingua
Published by Sinolingua
24 Baiwanzhuang Road, Beijing 100037, China
Tel: (86)10-68320585
Fax: (86)10-68326333
http://www.sinolingua.com.cn
E-mail: hyjx@sinolingua.com.cn
Printed by Beijing Foreign Languages Printing House
Distributed by China International Book Trading Corporation
35 Chegongzhuang Xilu, P.O. Box 399
Beijing 100044, China

Printed in the People's Republic of China

Preface

After months of arduous writing, this spoken Chinese learning series *Talk Chinese*, a crystallization of many teachers' hard work, has finally hit the road. As Chinese keeps warming up in today's world, the publication of such a series will no doubt arouse another heat in learning Chinese. Along with the rapid development of the Chinese economy, more and more people have realized the importance and necessity of the Chinese language in communications between people, which not only reflect in economy and trade, but mainly in our daily lives, work and study. Today, China has caught the eyes of the world. The number of people who invest, work, travel and study in China is constantly increasing. Therefore, to learn Chinese, especially colloquial Chinese well, has naturally become an urgent need for these people. In view of no such complete series of teaching spoken Chinese in the market at present, and to meet the demands of the market in learning Chinese, especially spoken Chinese, we have spent a lot of energy on planning and compiling this series to meet the needs of readers.

Talk Chinese is the first series on practical, colloquial Chinese. It covers ten themes on social communication, life, travel, sports, leisure, shopping, emergency, school, office, and IT and network. By imitating real life scenes of various situations, authentic, lively and practical oral expressions are revealed to allow learners to experience the charm of the Chinese language through lively, interesting and humorous situational conversations, and learn the most commonly used colloquial words, phrases, slang, customary usages, everyday expressions and sentences. In another word, this is a very useful and practical encyclopedia on speaking Chinese. As long as one masters the contents of this series, one can respond fluently with the knowledge and oral expressions learned in whatever situations.

The characteristic of this series lies in its authentic, practical language expression, stresses on colloquialism, liveliness, and modernization of language. It selects high frequency words and the most vivid and authentic oral expressions used in daily life, work and study. One of my American friends who can speak perfect Chinese said to me after reading this series, "Very good. I think some expressions in the books are really typical, which I can't learn from other places." This shows that this series has made a breakthrough in Chinese learning materials, and achieved our original intention–that is to introduce the most typical, practical colloquial expressions to our friends who love Chinese, and allow them to use these expressions as soon as they learn them.

We've included "Relevant Expressions" by listing more expressions and words related to the themes in order to make it convenient for learners to expand their language competency and enlarge their vocabularies.

In addition, to better help learners know Chinese and the Chinese culture, we've also set up a column of "Language Tips" with the intention to introduce some common usage and grammatical knowledge, common mistakes and point out words and expressions that are easily confused, as well as tips on cultural background of the language. Our goal is to help learners not only learn Chinese expressions, but also get to know cultural connotations and language knowledge.

We know that learning and practicing are closely linked, one can't reach the goal of learning without practicing. At the back of each unit we've put together some exercises, emphasizing on listening and speaking to assist learners in mastering what they have learned through practice.

I think everyone has his/her own ways of learning. As the saying goes, "Every road leads to Rome." We believe that as long as one tries hard, one can learn Chinese well no matter which ways and methods one adopts. We sincerely hope this series will be of some help in improving your real ability of speaking Chinese.

We often say "Reading enriches the mind" to encourage people to read widely. Today, we use this expression to invite you to this series, where you will discover so many interesting words and sentences you have yet to learn. What are you waiting for? Come on, let's get started!

Chief compiler : Li Shujuan

前　言

　　在经过了数月艰苦的笔耕之后，这套凝聚着众多老师心血的"脱口说汉语"大型汉语口语系列图书终于与大家见面了。在汉语不断升温的今天，这套系列图书的出版无疑将引起汉语学习的又一个热潮。随着中国经济的迅猛发展，越来越多的人意识到汉语在人与人之间的交流与沟通上的重要性和必要性，这不仅仅体现在经贸方面，更主要的是体现在每日生活、工作和学习上。今天的中国已经成为世人注目的焦点，来华投资、工作、旅游、学习的人在不断扩大，学好汉语，特别是口语，自然成为这个群体的迫切要求。鉴于目前市场上尚无如此全面的学习汉语口语的系列图书，为了满足人们学习汉语，特别是汉语口语的需求，我们精心策划并编写了这套系列图书，以飨读者。

　　"脱口说汉语"是国内第一套实用汉语口语系列，内容涵盖交际、生活、出行、运动、休闲、购物、应急、校园、职场、IT网络十大主题。通过模拟发生在真实生活中各种各样的场景，再现地道、鲜活、实用的口语表达形式，让学习者从一个个生动、有趣、幽默的情景对话中体味汉语的魅力，学习掌握最常见、最口语化的词汇、短语、俚语、惯用语、常用语和常用句。可以说，这是一套实用性极强的口语小百科。只要掌握了这套系列的内容，无论面对什么场合，都能运用所学的知识和口语对答如流。

这套系列图书的特点在于语言表达地道、实用，突出语言的口语化、生活化和时代化。书中所收录的都是生活、工作和学习中所使用的高频词和最生动、活泼、地道的口语。我的一个中文讲得非常好的美国朋友在看过这套系列图书之后说："很好，我觉得里面的一些说法特别地道，在别的地方学不到。"这表明该套系列图书在汉语学习教材的编写上还是具有一定突破性的，也达到了我们编写的初衷，那就是要将汉语最精彩、实用的口语介绍给热爱汉语的朋友，让他们学了就能用，而且是活学活用。

我们设有一个"相关用语"栏目，把更多与主题相关的词句列出，目的是方便学习者拓展语言能力，扩大词汇量。

另外，为了更好地帮助学习者了解汉语和中国文化，我们还特别开辟了一个"语言文化小贴士"栏目，向学习者介绍一些语言的使用和文法知识、词语在使用中常见的错误和易混的地方、以及语言的文化背景小提示，让学习者不仅学会汉语的表达，也了解其背后的文化内涵和语言知识。

我们知道，学与练是密不可分的。学而不练则达不到学的目的，所以在每个单元之后都有几个小练习，重点放在听说上，让学习者通过练习掌握所学知识。

我想每个人都有各自的学习方法，俗话说，"条条大路通罗马。"我们相信，只要努力，无论采取什么形式，都能学好汉语。我们衷心地希望这套系列图书能对学习者提高汉语口语的实际表达能力有所裨益。

我们常用"开卷有益"来鼓励人们去博览群书。今天我们用"开卷有益"邀你走进这套系列图书中，你会发现，这里有太多有趣的词语和句子是你从没有学到过的。还等什么？赶快行动吧！

主编：李淑娟

目 录

VII

Introduction

Part 1 Learn *Pinyin* My Way

Chinese *pinyin* is not difficult to learn. It mainly includes three parts: initials, vowels and tones. In this chapter you'll be introduced to some basic knowledge of *pinyin*, pronunciations, differences between *pinyin* and English phonetics, and ways to remember them, so that you can read and pronounce *pinyin* easily. This will help you to study Chinese by yourself along with the audios.

1. Initials

There are 23 initials in Chinese *pinyin*. Many of them have similar sounds to the English consonants. Please look at Table 1 and compare them with the English version.

Table 1   Chinese Initials

Chinese letter	Sound	English word
b	p	as "b" in "book"
p	p'	as "p" in "poor"
m	m	as "m" in "more"
f	f	as "f" in "four"
d	t	as "d" in "dog"
t	t'	as "t" in "text"

n	n	as "n" in "net"
l	l	as "l" in "learn"
g	k	as "g" in "green"
k	k'	as "k" in "kit"
h	x	as "h" in "her"
j	tɕ	as "j" in "jeep"
q	tɕ'	as "ch" in "cheese"
x	ɕ	as "sh" in "shit"
z	ts	as "ds" in "sounds"
c	ts'	as "ts" in "lots"
s	s	as "s" in "sum"
zh	tʂ	as "j" in "journey"
ch	tʂ'	as "ch" in "church"
sh	ʂ	as "sh" in "shirt"
r	ʐ	as "r" in "red"
w	w	as "w" in "woman"
y	j	as "y" in "you"

2. Finals

There are 35 vowels in Chinese *pinyin*. To be more specific, there are six vowels and 29 compound vowels. The six vowels are: a , o , e , i , u , and ü . Under each vowel there are several compound vowels. The key to remember them, is to remember the six vowels first, then remember the compound vowels of each vowel as a group. There is a rule in doing it. Look at Table 2 and compare them with the English version.

Table 2   Chinese Finals

Chinese letter	Sound	English word
a	A	as "ar" in "car"
ai	ai	I
an	ɑn	as "an" in "ant"
ang	ɑŋ	as "ong" in "long"
ao	ɑu	as "ou" in "out"
o	o	as "a" in "water"
ou	ou	oh
ong	uŋ	as "ong" in "gone"
e	ɤ	as "ir" in "bird"
ei	ei	as "ay" in "may"
en	ən	as "en" in "end"
eng	əŋ	as "eng" in "beng"
er	ər	as "er" in "traveler"
i	i	as "ea" in "tea"
ia	iA	yah
iao	iɑu	as "yo" in "yoga"
ie	ie	as "ye" in "yes"
in	in	as "in" in "inside"
iu	iou	you
ian	iɛn	Ian
iang	iɑŋ	young
ing	iəŋ	as "ing" in "going"

iong	yuŋ	as "one" in "alone"
u	u	woo
uɑ	uA	as "wa" in "watt"
ui	uei	as "wee" in "sweet"
un	uən	won
uo	uo	as "wha" in "what"
uɑi	uai	why
uɑn	uan	when
uɑng	uaŋ	as "wan" in "want"
ü	y	
üe	ye	
ün	jn	
üɑn	yɛn	

3. Tones

The Chinese Mandarin has four tones – the first tone " ˉ ", the second tone " ´ ", the third tone " ˇ ", and the fourth tone " ` ". Different tones express different meanings. It is important to master all four tones in order not to mislead others when you're speaking.

How does one practice the four tones is a common question. Here is one way to do it: Do you know how to sing songs? Yes, use that to help you. For example: ā , á , ǎ , à , the first tone " ā "is a high tone, so you should sing it high pitched as if you're saying the word "Hi"; the second tone goes from low to high as if you're saying the word "What?"; the third tone is like a valley, you can sing it as if saying the word "whoa"; and the fourth tone goes from high to low as if you're saying the word "go". Isn't it easy? Now let's practice the four tones.

ā	á	ǎ	à
ō	ó	ǒ	ò
ē	é	ě	è
ī	í	ǐ	ì
ū	ú	ǔ	ù
ǖ	ǘ	ǚ	ǜ

mā	má	mǎ	mà
妈	麻	马	骂
mother	hemp	horse	curse

wō		wǒ	wò
窝		我	卧
nest		I	lie

gē	gé	gě	gè
哥	革	舸	个
brother	leather	barge	one unit of something (a measure word)

xī	xí	xǐ	xì
西	习	洗	细
west	study	wash	thin

hū	hú	hǔ	hù
呼	壶	虎	户
call	pot	tiger	household

jū	jú	jǔ	jù
居	局	举	句
reside	game	raise	sentence

Part 2 Learn Grammar My Way

As soon as grammar is mentioned, one may frown and sigh helplessly at the hardship of learning Chinese. As a matter of fact, learning Chinese grammar is not as difficult as learning the grammar of other languages. The most difficult thing to learn might be the characters or remembering the strokes and how to write them. Chinese grammar is much easier. In this chapter, you'll be introduced to some basic rules or structures of the Chinese grammar, so that you can learn them by heart as you continue on to the later part of the book. As we did in the next chapter, let's compare the Chinese grammar with the English one, so that you can get a clearer picture of the Chinese grammar.

After comparing English grammar with the Chinese, do you find it easier to learn? Those are the basic rules of Chinese grammar. You'll learn more complex sentences after mastering these simple ones. Actually, English and Chinese grammars have a lot in common. So look out for them as you study. Hope you'll enjoy learning Chinese with the help of this book.

汉语语法简介
A Sketch of Chinese Grammar

名称 Term	汉语 Chinese	英语 English	对比说明 Explanation
动词谓语句 Sentences with verb as the predicate	我学习汉语。 我明天去你家。 他们在门口等你。 老师坐飞机来北京。	I study Chinese. I'll go to your home tomorrow. They are waiting for you at the gate. The teacher comes to Beijing by plane.	跟英语句式基本相同，但时间、地点、方式都放在动词前边。 Its sentence structure is similar to the English, but the word of time, place and manner is put before the verb.
形容词谓语句 Sentences with adjective as the predicate	哥哥很忙。 我妈妈身体很好。	My brother is very busy. My mother's health is very good.	汉语主语跟形容词谓语之间不用"是"动词。 In Chinese no verb "be" is used between the subject and adjective predicate.
名词谓语句 Sentences with noun as the predicate	今天星期六。 一年十二个月。 明天20号。 他30岁。 我新来的。	Today is Saturday. There are twelve months in a year. Tomorrow is the 20th. He is thirty years old. I'm new here.	主语和谓语之间，可以用"是"，也可以不用。但是用了"是"就不是形容谓语句了。 Verb "be" can either be used or not between the subject and the predicate. But if verb "be" is used, it is no longer an adjective predicate sentence.

XVIII

名称 Term	汉语 Chinese	英语 English	对比说明 Explanation
存现句 "There be" sentences	桌子上放着词典和书。 屋子里有人。 车上下来一个小孩儿。 墙上挂着一张画儿。	There are dictionaries and books on the table. There is someone in the room. There is a child getting off the bus. There is a picture on the wall.	"地方"可以作主语。这里的动词是"存在"的意思。"place" can be used as a subject. The verb here means "existence".
"把"字句 Sentences with "ba"	我把钥匙丢了。 他把钱花光了。 你把钱给他。 你把行李拿下来吧。 她把这些东西搬出去了。 孩子们把椅子搬到教室外边去了。	I lost my key. He spent all his money. Give your money to him. Please take down the luggage. She moved these things out. Children moved chairs outside the classroom.	1.谓语动词一般是及物动词。 2.宾语多是名词。 3.宾语是说话双方都知道的。 4.谓语动词不能单独出现，后边必须跟"了"、宾语或者补语等。 5.主要使用来回答宾语怎么样了。 1.The predicate verb is usually a transitive verb. 2.The object is usually a noun. 3.The object is known by both sides of speakers. 4.The predicate verb cannot be used alone, it must be followed by "le", object or complement and so on. 5.It is mainly used to answer what happens to the object.

名称 Term	汉语 Chinese	英语 English	对比说明 Explanation
被动句 Passive sentences	我被老师批评了一顿。 姐姐被气哭了。 自行车叫弟弟骑坏了。 楼盖好了。 菜买回来了。 作业我写完了。	I was criticized by the teacher. My sister got so upset that she cried. The bicycle was broken by my younger brother. The building was completed. The vegetables were bought. My homework is done.	汉语的被动句可以分为两类：一类是有标志"被""叫""让"的，放在动词前边。另一类是无标志的，我们叫意念上的被动句。受事者放在主语位置上，谓语放在它的后边，结构跟主谓谓语句一样，但表示的是被动的意思。 The passive sentences in Mandarin can be divided into two categories: One is signaled with "bei", "jiao", and "rang" put before the verb. The other is not signaled, which we call imaginative passive sentence. The receiver is put in the subject position, followed by the predicate. The structure is the same to the subject + predicate sentence, but has a passive meaning.
"是……的"句 "shi...de" sentences	我是昨天坐飞机来北京的。 我是在商店买的这件衣服。 他是出差来的。	I came to Beijing by plane yesterday. I bought this coat in a store. He came here on business.	"是……的"句表示强调，强调"时间""方式""地点""目的"等。 The "shi...de" sentence indicates emphasis, stressing on "time", "manner", "place", "purpose" etc.

名称 Term	汉语 Chinese	英语 English	对比说明 Explanation
无主句 Sentences without a subject	下雨了。 刮风了。 上课了。	It's raining. Wind is blowing. It's time for class.	主语不需要出现时，可以不说出主语。 When a subject is not necessary, it is not used.
比较句 Comparative sentences	我跟你一样大。 哥哥比弟弟大两岁。 这双鞋比我的大一点儿。 他的口语比我的好得多。 妹妹比姐姐还（更）漂亮。 我儿子有桌子这么高。	I'm as old as you are. The elder brother is two years older than the younger one. These shoes are a little bigger than mine. His oral English is much better than mine. The younger sister is prettier than the elder one. My son is as tall as the table.	A跟B一样+形容词 A比B+形容词+补充说明 只可以说"A比B更（还）+形容词" A有B+形容词 A "gen" B "yiyang"(same)+ adj. A "bǐ" B + adj. + additional explanation. A "bǐ" B "geng/hái"(more) + adj. A "you"(have) B + adj.

名称 Term	汉语 Chinese	英语 English	对比说明 Explanation
反问句 Rhetorical questions	这不是你的笔吗?	Isn't this your pen?	"不是……吗?"用来对某事进行强调,意思是"这就是你的笔"。汉语的反问句中肯定句强调否定,否定句强调肯定。反问句的种类还有很多。 "bu shi...ma?" is used to stress sth. meaning "this IS your pen." In Chinese the positive sentence in a rhetorical question stresses on negative, while a negative sentence stresses on positive. There are other types of rhetorical questions.
名词的数 Number of noun	一张桌子 一把椅子 一个学生	a table, three tables a chair, six chairs a student, a hundred students	汉语的名词没有单数、复数的变化。 In Chinese, the noun has no singular and plural changes.

名称 Term	汉语 Chinese	英语 English	对比说明 Explanation
方位词 Direction and location words	东、南、西、 北、上、下、 前、后、左、 右、里、内、 外、中间、 旁……	east, south, west, north, up, down, front, back, left, right, inside, outside, in, middle, aside...	汉语的方位词分单纯方位词和合成方位词。单纯方位词一般不能单独使用。合成方位词是由以～、 之～、～边、～面、～头组合而成。 The direction and location words are divided into pure words and compound words. The pure words are usu- ally not used alone. The compound words are com- posed of "yi-", "zhi-", "-bian", "-mian", and "-tou".
	以东、以上、 以内、以外、 之前、之中、 之间、之内、 东边、左边、旁边、 上边、东面、 外面、下面、右面、东头、 里头、上头、前头等	eastward, above, within, beyond, before, among, between, within, eastern, left, side, above, east side, outside, below, right side, east end, inside, over, in front, etc.	
疑问词"谁""什么" "哪儿"等 Interrogative words "shuí" (who), "shenme" (what), "nar" (where) etc.	谁是老师? 你去哪儿? 这是谁的书? 你什么时候回家? 你们怎么回学校?	Who is the teacher? Where are you going? Whose book is this? When will you go home? How will you go back to school?	疑问词在问句中可以做主语、宾语、定语、状语。 Interrogative words can be used as the subject, predicate, attribute, and adverbial in a question.

名称 Term	汉语 Chinese	英语 English	对比说明 Explanation
数量词 Measure words (Quantifiers)	我买了三本书。 他买了五辆自行车。 浴室里挂着两面镜子。	I bought three books. He bought five bicycles. Two mirrors are hung in the bathroom.	汉语的量词非常丰富。数词和名词之间必须有一个量词。 There are plenty of measure words or quantifiers in Chinese. There must be a measure word between numerals and nouns.
动词 Verbs	看一看看、看一下、看一看、看了看 学习一学习学习、学习一下、学习了学习	look, have a look, look at study, learn	汉语的动词可以重叠使用。 Chinese verbs can be duplicated.
"了" "le"	昨天下午，我参观了历史博物馆。 我把这本小说看完了。 他坐起来下床穿上鞋走了出去。 我不去看电影了。	I visited the Historical Museum yesterday afternoon. I've finished reading the novel. He sat up, put on his shoes, got off the bed, and went out. I won't go to the movie.	"了"放在动词或者句子后边表示： 1. 在一个具体的时间，这个动作完成了。 2. 这件事情完成了。 3. 在连续的几个动作发生时，"了"放在最后一个动词后边。 4. "了"表示事情发生了变化。 The word "le" following a verb or a sentence indicates: 1. The action is completed within a specific time. 2. This thing has been done. 3. When a series of actions are taking place, "le" is put behind the last verb. 4. "le" indicates something has changed.

名称 Term	汉语 Chinese	英语 English	对比说明 Explanation
"着" "zhe"	他在椅子上坐着。 他穿着中式衣服。 床上躺着一个小孩子。	He is sitting on a chair. He is wearing Chinese-style clothes. A child is lying on the bed.	"着" 放在动词后边表示: 处于持续状态的动作或者样子。 The word "zhe" following a verb indicates it is in a state of continuous actions or mode.
"过" "guo"	我学过汉语。 我去过上海。 他没来过这儿。	I have studied Chinese. I have been to Shanghai. He hasn't been here.	"过" 用在动词后表示: 强调某种动作曾经发生过或者强调某种经历。 The word "guo" following a verb indicates a certain action has happened or a certain experience is being stressed.
正在…… ……呢 正……呢 在……呢 正在……呢 zheng zai...ne zheng...ne zai...ne zheng zai...ne	现在他正在吃饭。 我吃饭呢, 不去送你了。 他没时间, 他正在开会呢。 他没出去, 他在睡觉呢。 我正在吃饭呢, 你别问我了。	He is having his meal now. I'm having a meal so I won't see you off. He has no time because he's having a meeting. He is not out. He's sleeping. I'm having a meal. Please don't ask me.	"正在……, ……呢, 正……呢, 在……呢, 正在……呢" 表示某个动作正在进行中。 "zheng zai...", "...ne", "zheng...ne", "zai...ne", "zheng zai...ne" indicate an action is going on right now.

求职面试 Job Interview

UNIT 1

● 必备用语 Key Expressions

qǐng wèn zěn me chēng hu nín
请 问 怎 么 称 呼 您？
How should I address you?

wǒ xìng zhào
我 姓 赵 。
My last name is Zhao.

wǒ zài zhè ge zhí wèi shang gōng zuò
我 在 这 个 职位 上 工 作
guo wǔ nián
过 五 年 。
I have five years of experience in this position.

běn kē xué lì
本 科 学 历
Bachelor's degree

dú guǎn lǐ xué zhuān yè
读 管 理 学 专 业
major in Management

huò dé xué shì xué wèi
获 得 学 士 学 位
receive a Bachelor's degree
diploma

wǒ méi yǒu shén me tè bié de yāo
我 没 有 什 么 特 别 的 要
qiú
求 。
I don't have any special requests.

gōng sī huì gěi yuán gōng shàng bǎo
公 司 会 给 员 工 上 保
xiǎn ma
险 吗？
Does the company offer insurance coverage for employees?

wǒ suí shí kě yǐ lái shàng bān
我 随 时 可 以 来 上 班 。
I can start work at any time.

wǒ bú huì ràng nín shī wàng de
我 不 会 让 您 失 望 的 。
I will not disappoint you.

● 情景对话 Situational Dialogues

1. 与人力资源部经理的对话 A Dialogue with HR Manager

rén lì zī yuán jīng lǐ   mǎ xiān sheng nín hǎo qǐng zuò
人力 资源 经 理：马 先 生 ，您 好 ，请 坐 。
HR manager: Mr. Ma. Nice to meet you, please be seated.

1

mǎ tāo　　nín hǎo　qǐng wèn zěn me chēng hu nín
马涛：您好。请问怎么称呼您？

Ma Tao: Nice to meet you, too. How should I address you?

rén lì zī yuán jīng lǐ　　wǒ xìng zhào
人力资源经理：我姓赵。

HR manager: My last name is Zhao.

mǎ tāo　　ò　zhào jīng lǐ
马涛：哦，赵经理。

Ma Tao: Oh, Manager Zhao.

rén lì zī yuán jīng lǐ　　wǒ men kàn guo le nǐ de jiǎn lì　nǐ yǐ qián yǒu guo
人力资源经理：我们看过了你的简历，你以前有过
　　　　　　　zhè ge zhí wù de jīng lì
　　　　　　　这个职务的经历。

HR manager: We have reviewed your resume. You have prior experience
in this type of position.

mǎ tāo　　shì de　wǒ zài zhè ge zhí wèi shang gōng zuò guo wǔ nián
马涛：是的，我在这个职位上工作过五年。

Ma Tao: Yes, I have five years of experience in this position.

rén lì zī yuán jīng lǐ　　ò　nà suàn de shàng shì jīng yàn fēng fù le　nǐ néng
人力资源经理：哦，那算得上是经验丰富了。你能
　　　　　　　bu néng shuō yí xià zài zhè ge zhí wèi shang céng qǔ dé
　　　　　　　不能说一下在这个职位上曾取得
　　　　　　　de chéng jì
　　　　　　　的成绩？

HR manager: Oh, that's a lot of experience. Could you tell me about some
of your accomplishment from your previous experience?

mǎ tāo　　wǒ céng jīng lǐng dǎo guo yí ge tuán duì　jīng guò wǒ men de nǔ lì
马涛：我曾经领导过一个团队。经过我们的努力，
　　　　gōng sī de shēng chǎn chéng běn jiàng dī le bǎi fēn zhī shí wǔ
　　　　公司的生产成本降低了　15%。

Ma Tao: I used to be a team leader and with our team's hard work, we were able to reduce production cost by 15%.

rén lì zī yuán jīng lǐ　　ng　bú cuò de chéng jì
人 力 资 源 经 理：嗯，不错 的 成 绩。

HR manager: Oh, that's quite remarkable.

mǎ tāo　　wǒ men de tuán duì yīn cǐ dé dào le gōng sī de tè bié jiā jiǎng
马 涛：我 们 的 团 队 因此 得 到 了 公 司 的 特 别 嘉 奖 ，

　　　　wǒ běn rén yě bèi píng wèi dāng nián zuì jiā yuán gōng
　　　　我 本 人也被 评 为 当 年 最佳 员 工 。

Ma Tao: My team received a special recognition award by the company.
　　　　I was awarded the Best Employee of the Year.

rén lì zī yuán jīng lǐ　　néng jiǎn dān jiè shào yí xià nǐ de xué lì qíng
人 力 资 源 经 理： 能 简 单 介 绍 一 下 你 的 学 历 情

　　　　kuàng ma
　　　　况 吗？

HR manager: Could you tell me briefly about your educational background?

mǎ tāo　　wǒ shì běn kē xué lì　zài běi jīng gōng shāng dà xué dú guǎn lǐ xué
马 涛：我 是 本 科 学 历，在 北 京 工 商 大 学 读 管 理 学

　　　　zhuān yè　huò dé xué shì xué wèi　zhè shì wǒ xué lì zhèng shū de
　　　　专 业，获 得 学 士 学 位。这 是 我 学 历 证 书 的

　　　　fù yìn jiàn
　　　　复 印 件 。

Ma Tao: I received a bachelor's degree in Management from Beijing
　　　　Technology and Business University. Here is a copy of my
　　　　degree certification.

rén lì zī yuán jīng lǐ　　hěn hǎo　wǒ jué de nǐ de tiáo jiàn hěn fú hé wǒ men
人 力 资 源 经 理：很 好 。我 觉 得 你 的 条 件 很 符 合 我 们

　　　　duì zhè ge zhí wèi de yāo qiú　nǐ shāo děng yí
　　　　对 这 个 职 位 的 要 求。你 稍 等 一

　　　　huì　qǐng nǐ hé wǒ men de zǒng jīng lǐ miàn tán
　　　　会 ，请 你 和 我 们 的 总 经 理 面 谈

　　　　yí xià
　　　　一 下 。

3

HR manager: That's great. I believe you are a good fit for the position. Please wait for a while. I will arrange for you to talk with our general manager.

词汇 Vocabulary

人力资源部 rén lì zī yuán bù
Human Resource Department

称呼 chēng hu
call, name, title

简历 jiǎn lì
resume

经历 jīng lì
experience

职务 zhí wù
headship; job title

职位 zhí wèi
position

经验丰富 jīng yàn fēng fù
rich experience

成绩 chéng jì
achievement, accomplishment

领导 lǐng dǎo
lead; leader

团队 tuán duì
team

生产成本 shēng chǎn chéng běn
production cost

嘉奖 jiā jiǎng
commendation bonuses; reward

学历 xué lì
educational background

学位 xué wèi
degree

面谈 miàn tán
interview

2. 与总经理的面试谈话 An Interview with the General Manager

zǒng jīng lǐ   nǐ duì wǒ men gōng sī liǎo jiě duō shao
总 经 理：你 对 我 们 公 司 了 解 多 少？

GM: How much do you know about our company?

mǎ tāo   zài cǐ zhī qián   wǒ dào guì gōng sī de wǎng zhàn liú lǎn guo   kàn
马 涛：在 此 之 前，我 到 贵 公 司 的 网 站 浏 览 过，看

guo le gōng sī de jiè shào   wǒ hái zài wǎng shang sōu suǒ guo
过 了 公 司 的 介 绍 。我 还 在 网　上　搜　索 过

guān yú gōng sī de xīn wén   zhī dào guì gōng sī yóu yú běn nián dù
关 于 公 司 的 新 闻 ,知 道 贵 公 司 由 于 本 年 度

yè jì yōu xiù   gǔ jià dà shēng
业 绩 优 秀 ,股 价 大　升　。

Ma Tao: I have visited your company's website and reviewed the company's background information. I have also done some research online about your company prior to this interview and have learned that the company's stock price has increased because of its outstanding performance.

zǒng jīng lǐ   hǎo   wǒ men duì nǐ hěn mǎn yì   qǐng wèn nǐ duì dài yù yǒu
总 经 理 : 好 ,我 们 对 你 很 满 意 。请 问 你 对 待 遇 有

méi yǒu shén me yāo qiú
没 有 什 么 要 求 ?

GM: Good. We are quite satisfied with your qualifications. Do you have any special requests?

mǎ tāo   wǒ méi yǒu shén me tè bié de yāo qiú   zhǐ shì xī wàng bú yào dī yú
马 涛 : 我 没 有 什 么 特 别 的 要 求 ,只 是 希 望 不 要 低 于

wǒ qián yí ge gōng zuò de xīn shuǐ
我 前 一 个 工 作 的 薪 水 。

Ma Tao: Nothing special, I just hope that the amount of salary should not be lower than that of my last job.

zǒng jīng lǐ   wǒ men de shì yòng qī shì sān ge yuè   shì yòng qī nèi zhǐ yǒu jī
总 经 理 : 我 们 的 试 用 期 是 三 个 月 ,试 用 期 内 只 有 基

běn gōng zī
本 工 资 。

GM: The trial period will be three months. There is only base pay during this period.

mǎ tāo　zhè ge méi wèn tí
马 涛：这 个 没 问 题。

Ma Tao: That's fine.

zǒng jīng lǐ　shì yòng qī mǎn hòu　wǒ men yǔ nǐ huì qiān zhèng shì de láo
总 经 理：试 用 期 满 后，我 们 与 你 会 签　正 式 的 劳

　　　　　dòng hé tong
　　　　　动 合 同。

GM: After the trial period we will sign the formal employment　contract
　　with you.

mǎ tāo　gōng sī huì gěi yuán gōng shàng bǎo xiǎn ma
马 涛：公 司 会 给 员 工　上 保 险 吗？

Ma Tao: Does the company offer insurance coverage for employees?

zǒng jīng lǐ　wǒ men gěi zhí gōng tí gòng yī liáo　shī yè hé yǎng lǎo bǎo
总 经 理：我 们 给 职 工 提 供 医 疗、失 业 和 养 老 保

　　　　　xiǎn　hái yǒu zhù fáng gōng jī jīn　nián zhōng hái huì gēn jù
　　　　　险，还 有 住 房 公 积 金，年 终 还 会 根 据

　　　　　yuán gōng yè jì hé gōng sī de shōu yì fā fàng jiǎng jīn hé
　　　　　员　工 业 绩 和 公 司 的 收 益 发 放　奖 金 和

　　　　　fēn hóng
　　　　　分 红。

GM: The company provides medical insurance, unemployment insurance
　　and retirement insurance for its employees. Housing Accumulation
　　Fund is available. The staff could also enjoy rewards and bonuses
　　at year-end based on individual and corporate performance.

mǎ tāo　xiè xie nín de jiè shào
马 涛：谢 谢 您 的 介 绍。

Ma Tao: Thanks for the information.

zǒng jīng lǐ　lìng wài yuán gōng gōng zuò yì nián yǐ shàng　hái yǒu nián jià
总 经 理：另 外 员　工 工 作 一 年 以 上，还 有 年 假

hé tàn qīn jià   nǐ hái yǒu shén me wèn tí ma
和 探 亲 假。你 还 有 什 么 问 题 吗?

GM: By the way, employees are also entitled to annual leave and visiting

vacation after one year of employment. Do you have any more

questions?

mǎ tāo   méi yǒu le   xiè xie
马 涛:没 有 了,谢 谢。

Ma Tao: No, thank you.

zǒng jīng lǐ   nǐ kàn nǐ shén me shí hou néng lái shàng bān
总 经 理:你 看 你 什 么 时 候 能 来 上 班?

GM: When can you start?

mǎ tāo   wǒ suí shí kě yǐ lái shàng bān
马 涛:我 随 时 可 以 来 上 班。

Ma Tao: I can start any time.

zǒng jīng lǐ   zhè yàng ba   xià zhōu yī lái shàng bān   yǒu wèn tí ma
总 经 理:这 样 吧,下 周 一 来 上 班,有 问 题 吗?

GM: OK. How about next Monday?

mǎ tāo   méi wèn tí   wǒ bú huì ràng nín shī wàng de
马 涛:没 问 题。我 不 会 让 您 失 望 的。

Ma Tao: No problem. I will not disappoint you.

zǒng jīng lǐ   xíng   jīn tiān jiù zhè yàng   zán men xià zhōu yī zài jiàn
总 经 理:行,今 天 就 这 样,咱 们 下 周 一 再 见。

GM: OK, that's all for today. See you next Monday.

词汇 Vocabulary

浏览 liú lǎn
browse

搜索 sōu suǒ
search

股价 gǔ jià
share price

薪水 xīn shuǐ
salary

待遇 dài yù
treatment *benefit*

随时 suí shí
at any moment; anytime

没问题 méi wèn tí
no problem

咱们 zán men
we; us

试用期 shì yòng qī
trial period
probation

相关用语 Relevant Expressions

人事部
rén shì bù /
Human Resource Department;
Ministry of Personnel

阅历
yuè lì / experience

薪资
xīn zī / salary

保险
bǎo xiǎn / insurance

奖金
jiǎng jīn / bonus, premium

语言文化小贴士
Language Tips

nǐ nín
1. 你、您

"你"和"您"都是第二人称,但是"您"是敬称,表示对听话人的尊敬。在生活中,一般对长辈、老师、客户等都要说"您",例如对话里马涛对总经理用"您",表示尊敬。

"Nǐ"and"nín"are both used for addressing second person, "nín" is the honorific phrase, to show respect to the listener. In daily life, "nín"is used when young people talk with the elders, teachers or clients. In the text, Ma Tao uses "nín" when he is talking to the Manager to show his respect.

wǒ men   zán men
2. 我 们 、 咱 们

　　通常"咱们"比"我们"更亲切,更显得口语化。"我们"比"咱们"更正式。另外,在人们的对话中,"我们"和"咱们"是有区别的。说"我们"的时候,可以指讲话的一方,也可以包括听话的一方。而"咱们"一定包括讲话的和听话的双方。比如"咱们晚上一起吃饭吧"。

　　Usually, "zán men" is more kind and colloquial than "wǒ men". And "wǒ men" is more formal than "zán men". In addition, "wǒ men" and "zán men" could also have different meanings during normal conversations. "Wǒ men" could be used to refer to only the speaker, or it could refer to both the speaker and the listener. But when using "zán men", it refers to both the speaker and the listener. Such as "zán men wǎn shang yì qǐ chī fàn ba (Let's have dinner together)", means the speaker and the listener are both going to dinner.

咱们晚上一起吃饭吧!

● 练习 Exercises

1. 填空 Fill in the blanks with the words given below.

> 经验　　　经历　　　经过　　　阅历

　1）他是个非常有_____的推销员

　2）他亲身_____过唐山大地震。

　3）请您讲述一下这件事情的_____。

　4）他的_____还很浅。

2. 完成句子 Complete the following sentences.

　1）A：_____（对……了解吗？）

　　B：这家公司对外披露的信息并不多，需要多进行一些调查。

　2）A：你以前做过秘书工作吗？

　　B：_____（曾经）

　3）虽然目前社会上竞争非常激烈，他_____。（对……有信心）

　4）这个面试者的条件_____。（符合）

First Day at Work

● 必备用语 Key Expressions

huān yíng nín jiā rù wǒ men gōng (de)
欢 迎 您 加 入 我 们 公

sī
司。

Welcome to join us. Welcome to our company.

qǐng   duō duō zhǐ jiào
请 …… 多 多 指 教 。

Please give me some advice.

yǒu shén me xū yào bāng máng de
有 什 么 需 要 帮 忙 的 ,

nín jǐn guǎn kāi kǒu
您 尽 管 开 口 。

If there is anything I can help with, just let me know.

wǒ yí dìng jìn lì ér wèi
我 一 定 尽 力 而 为 。

I will try my best.

wǒ dài nín qù nín de bàn gōng shì kàn
我 带 您 去 您 的 办 公 室 看

yí xià ba
一 下 吧 。

Let me show you your office.

zhēn bù zhī dào gāi zěn me gǎn xiè
真 不 知 道 该 怎 么 感 谢

nǐ
你 !

I don't know how to thank you enough.

tǐng hǎo
挺 好 。

Very nice.

nín kàn hái yǒu shén me wèn tí ma
您 看 还 有 什 么 问 题 吗 ?

Is there anything else?

zàn shí méi yǒu le
暂 时 没 有 了 。

Nothing for now.

rú guǒ yǒu wèn tí zài zhǎo wǒ
如 果 有 问 题 再 找 我 。

Let ask me know if there are any other questions.

● 情景对话 Situational Dialogues

1. 我是新同事 I'm a Newcomer

mì shū　mǎ xiān sheng　nín hǎo　wǒ jiào lǐ yuán　shì xiè zǒng de mì shū
秘书：马 先 生，您好！我 叫李园，是谢 总 的秘书。

Secretary: Hello, Mr. Ma, my name is Li Yuan. I am Mr. Xie's secretary.

mǎ tāo　lǐ mì shū　nín hǎo　shàng cì wǒ men jiàn guo miàn le
马 涛：李秘书，您好！上 次我 们 见 过 面 了。

Ma Tao: Nice to meet you, Miss Li. We have met last time.

mì shū　shì a　huān yíng nín jiā rù wǒ men gōng sī
秘书：是啊，欢 迎 您加入我 们 公 司。

Secretary: Yes, welcome to our company.

mǎ tāo　wǒ jīn tiān dì yī tiān lái gōng sī shàng bān　chū lái zhà dào　yǒu
马 涛：我今 天 第一天 来 公 司 上 班，初来乍到，有
　　　shén me zuò de bú duì de dì fang　hái qǐng lǐ xiǎo jiě duō duō
　　　什 么 做 得 不 对 的地 方，还 请 李小 姐多 多
　　　zhǐ jiào
　　　指 教。

Ma Tao: This is my first day here. If there is anything I'm not doing right,
　　　please give me some advice.

mì shū　nín tài jiàn wài le　nín jiù jiào wǒ lǐ yuán ba
秘书：您太见 外 了。您就叫我李园吧。

Secretary: You are welcome. You can call me Li Yuan.

mǎ tāo　hǎo de
马 涛：好的。

Ma Tao: OK.

mì shū　yǐ hòu yǒu shén me xū yào bāng máng de　nín jǐn guǎn kāi kǒu　wǒ
秘书：以 后 有 什 么 需 要 帮 忙 的，您尽管 开口，我
　　　yí dìng jìn lì ér wéi
　　　一 定 尽力而为。

Secretary: If there is anything I can help with, just let me know. I will try

Unit 2 First Day at Work

my best.

mǎ tāo   yí dìng yí dìng
马涛：一定一定。

Ma Tao: Certainly.

mì shū   wǒ dài nín qù nín de bàn gōng shì kàn yí xià ba
秘书：我带您去您的办公室看一下吧。

Secretary: Let me show you your office.

mǎ tāo   hǎo de xiè xie
马涛：好的，谢谢。

Ma Tao: OK, thank you.

词汇 Vocabulary

秘书 mì shū
secretary

初来乍到 chū lái zhà dào
arrived a moment ago; came
just now; just arrived

多多指教 duō duō zhǐ jiào
give advice or comments

见外 jiàn wài
regard somebody as an outsider

尽力而为 jìn lì ér wéi
try one's best

(handwritten annotations: appear, arrive, joined, teach, shi zui hao de)

2. 帮助新同事 Helping a New Colleague

(handwritten annotation: jing chang usually)

mì shū   zhè shì nín de bàn gōng shì   yì xiē cháng yòng de bàn gōng yòng pǐn
秘书：这是您的办公室。一些常用的办公用品

yǐ jīng gěi nín zhǔn bèi hǎo le   jiù zài zuǒ bian de chōu ti li
已经给您准备好了，就在左边的抽屉里。

Secretary: Here is your office. Some office supplies have been prepared.
You can find them inside the left drawers.

mǎ tāo   a   nǐ zhēn shì tài zhōu dào le
马涛：啊，你真是太周到了！

Ma Tao: Oh, you are so thoughtful.

13

mì shū　nín kàn kan gòu bu gòu　hái xū yào shén me jiù gēn wǒ shuō
秘书：您 看 看 够 不 够，还 需 要 什 么 就 跟 我 说 。

Secretary: You can take a look. Please let me know if you need anything

else.

mǎ tāo　hǎo　huí tóu wǒ kàn yí kàn
马涛：好，回 头 我 看 一 看 。

Ma Tao: OK, I will.

mì shū　zhè shì yuán gōng shǒu cè　guān yú gōng sī guǎn lǐ zhì dù　rén shì
秘书：这 是 员 工 手 册，关 于 公 司 管 理 制 度、人 事

zhì dù　kǎo qín zhì dù　fú lì zhèng cè děng děng dōu zài lǐ mian
制 度、考 勤 制 度、福 利 政 策 等 等 都 在 里 面 。

Secretary: Here is the employee manual including management policies,

HR policies, attendance rules and benefits policies.

mǎ tāo　zhè ge wǒ yào rèn zhēn kàn kan　bié gāng lái jiù wéi fǎn gōng sī de
马涛：这 个 我 要 认 真 看 看，别 刚 来 就 违 反 公 司 的

zhì dù hé jì lǜ　yǐng xiǎng duō bù hǎo
制 度 和 纪 律，影 响 多 不 好 。

Ma Tao: I will read it carefully. It would be a shame if I violate the

company policies right at the beginning.

mì shū　zhè shì gěi nín zhǔn bèi de diàn nǎo　nín kě yǐ shì yí shì
秘书：这 是 给 您 准 备 的 电 脑，您 可 以 试 一 试 。

Secretary: Here is your computer. You can give it a try.

mǎ tāo　zhēn bù zhī dào gāi zěn me gǎn xiè nǐ
马涛：真 不 知 道 该 怎 么 感 谢 你！

Ma Tao: I don't know how to thank you enough.

mì shū　diàn nǎo fāng miàn rú guǒ yǒu wèn tí kě yǐ zhǎo jì shù bù wǎng
秘书：电 脑 方 面 如 果 有 问 题 可 以 找 技 术 部 网

guǎn xiǎo cài　ò　duì le　zhè shì gōng sī quán tǐ zhí yuán de
管 小 蔡 。哦，对 了，这 是 公 司 全 体 职 员 的

telephone list *ext* *(on it)*

lián luò fāng shì　xiǎo cài de fēn jī hào mǎ jiù zài shàng miàn
联 络 方 式 , 小 蔡 的 分 机 号 码 就 在 上　面 ,

wǒ de yě zài shàng miàn
我 的 也 在　上　面 。

Secretary: If you have any computer related problems you can contact Xiao Cai from the technical support department. This is the contact list of the entire staff. Xiao Cai's extension number is on there and so is mine.

machine *worried* *speed*

(Ma Tao turns on the computer and checks.)

mǎ tāo　tǐng hǎo tǐng hǎo　jī qì pèi zhì bú cuò　wǒ zuì pà yòng sù dù màn de
马 涛 : 挺 好 挺 好 , 机 器 配 置 不 错 , 我 最 怕 用 速 度 慢 的

begin let me *frustrated*

lǎo diàn nǎo le　yòng qǐ lai ràng rén zháo jí
老 电 脑 了 , 用 起 来 让 人 着 急 。

Ma Tao: Very nice. It is a good system. I dread the older slow machines. They frustrate me.

printer *shared* *enter door* *yī... jiù as soon as*

mì shū　gōng sī dǎ yìn jī shì gòng xiǎng de　jiù zài yí jìn mén yòu bian nà ge
秘 书 : 公 司 打 印 机 是 共　享　的 , 就 在 一 进 门 右 边 那 个

otherwise

xiǎo fáng jiān　lìng wài　fù yìn jī　chuán zhēn jī yě zài nà li
小 房 间 。 另 外 , 复 印 机 、 传　真 机 也 在 那 里

yaoshi

rú guǒ nín yào hē shuǐ de huà　yǐn shuǐ jī yě zài nà li　hǎo　nín
如 果 您 要 喝 水 的 话 , 饮 水 机 也 在 那 里 。 好 , 您

kàn hái yǒu shén me wèn tí ma
看 还 有 什 么 问 题 吗 ?

still have

Secretary: You can use the shared printer, which is located in the small room on the right near the entrance. Also the copy machine and fax machine are placed in the same room. You can find water dispenser there if you want to drink some water. Is there anything else I can do for you?

mǎ tāo   zàn shí méi yǒu le   xiè xie nǐ
马 涛：暂 时 没 有 了，谢谢 你。

Ma Tao: Nothing for now. Thank you.

mì shū   bú kè qi   nà wǒ qù zuò bié de shì qing le   rú guǒ yǒu wèn tí zài
秘 书：不 客气。那 我 去 做 别 的 事 情 了，如果 有 问 题 再

zhǎo wǒ
找 我。

Secretary: You are welcome. I'm going to get some work done. Let me

know if there are any other questions.

mǎ tāo   hǎo de
马 涛：好 的。

Ma Tao: OK.

词汇 Vocabulary

办公用品 bàn gōng yòng pǐn
office supplies

抽屉 chōu ti
drawer

回头 huí tóu
later

员工手册 yuán gōng shǒu cè
employee manual

管理制度 guǎn lǐ zhì dù
management policies

考勤 kǎo qín
work attendance

福利政策 fú lì zhèng cè
welfare policy

违反 wéi fǎn
disobey, violate

影响 yǐng xiǎng
influence

联络方式 lián luò fāng shì
way of contact

网管 wǎng guǎn
administrator of networks;
network support

电脑配置 diàn nǎo pèi zhì
computer system, computer
setup

挺好 tǐng hǎo
very good, pretty good

共享 gòng xiǎng
share

复印机 fù yìn jī
copy machine

传真机 chuán zhēn jī
fax machine

饮水机 yǐn shuǐ jī
water dispenser

暂时 zàn shí
for the moment; temporarily

相关用语 Relevant Expressions

前台
qián tái / reception desk

行政部门
xíng zhèng bù mén /
administration department

陌生
mò shēng / strange, unfamiliar

适应环境
shì yìng huán jìng /
adapt to the environment;
become acclimated or
accustomed to a new
environment or a new job

团队
tuán duì / team, group

办公设备
bàn gōng shè bèi /
office facility

规章制度
guī zhāng zhì dù / regulations ~company policy

局域网
jú yù wǎng / local area network
(LAN)

通讯录
tōng xùn lù / address list,
contact list, address book

语言文化小贴士 Language Tips

　　　yí dìng yí dìng　tǐng hǎo tǐng hǎo
1. 一 定 一 定 、挺 好 挺 好
　　以上的用法叫"叠词"。叠词是汉语的一种特殊词汇现象,使用非常普遍。汉语的名词、数词、量词、形容词、副词、动词以及象声词都有重叠变化。汉语词汇重叠后,除了具备信息功能外,还具备表情功能与美感功能,使语言生动活泼,更富有感染力。AA 式,如天天、看看;AAB

式,如毛毛雨、洗洗手、刷刷牙;ABB 式,如眼巴巴、水汪汪、亮堂堂;AABB 式,如高高兴兴、认认真真、滴滴答答;ABAB 式,如一个一个、雪白雪白、漆黑漆黑。

Duplicated words are one of many interesting points of Chinese grammar. They are widely used. Nouns, numerals, measure words, adjectives, adverbs, verbs and imitative words, they can all be duplicated words. Besides delivering information, duplicated words are also expressive and stylish. It has several forms, such AA style, AAB style, ABB style, AABB style, and ABAB style.

gōng zuò zhōng duì bié ren de chēng hu
2. 工 作 中 对 别 人 的 称 呼

一般在与对方不太熟悉的时候,直接称呼对方的姓名显得不礼貌。在公司里,人们往往习惯在职务前加姓氏来称呼,如张经理、李主任。有时候口语里也可以用缩写表示,如对话中的"谢总",就是"谢总经理"的缩写。

It's impolite to call others' names directly when you are not quite familiar with them. In the office, Chinese people would like to add the title of the position after the last name, such as "zhāng jīng lǐ, lǐ zhǔ rèn". Sometimes, this can also be abbreviated in informal expressions, for example, "xiè zǒng" is short for "xiè zǒng jīng lǐ".

● 练习 Exercises

1. 选词填空 Fill in the blanks with the words given below.

> 开口　　指教　　办公用品　　见外　　配置

1）请李小姐多多_____。

2）您太_____了。

3）以后有什么需要帮忙的,您尽管_____。

4）_____已经给您准备好了,就在左边的抽屉里。

5）机器_____不错,我最怕用速度慢的老电脑。

2. 请把下列句中的词语变成叠词形式。Change the words in brackets into duplicate words.

> 我们要把房间好好_____（收拾）,把屋子弄得_____（干净）,让爸爸妈妈_____（高兴）地搬进新家。

3. 把下面每组词语中不属于办公用品的挑出来。Pick out the words which are not related to office supplies.

1）钢笔　　　铅笔　　　肥皂　　　圆珠笔　　　签字笔

2）订书器　　打孔机　　回形针　　菜刀

3）夹子　　　图钉　　　镜子　　　胶棒　　　　活页夹

4）透明胶带　油漆　　　信封　　　复印纸

Resignation 辞职

UNIT
3

● 必备用语 Key Expressions

talk

wǒ kě yǐ hé nǐ tán yì tán ma
我 可 以 和 你 谈 一 谈 吗？

May I talk to you for a moment?

zhè shì wǒ de cí zhí xìn
这 是 我 的 辞 职 信 。

Here is my resignation letter.

bú shì gōng sī de yuán yīn *reason*
不 是 公 司 的 原 因 。

It has nothing to do with the com-

pany. *personal*

shì wǒ gè rén de wèn tí
是 我 个 人 的 问 题 。

It's all for personal reasons.

wǒ hěn shě bu de nǐ zǒu
我 很 舍 不 得 你 走 。

I do not want to let you go. *again*

wǒ xiǎng chóng xīn xuǎn zé wǒ de
我 想 重 新 选 择 我 的

zhí yè
职 业 。 *choose*

I would like to reconsider my ca-

reer choice.

suitable

bú shì yìng zhè ge gōng zuò
不 适 应 这 个 工 作

not comfortable with this job

yīng gāi hǎo hāo kǎo lǜ yí xià
应 该 好 好 考 虑 一 下 *think*

you should seriously reconsider

then *good at*

bú shàn cháng yǔ rén dǎ jiāo dào
不 擅 长 与 人 打 交 道

not very good at socializing

zhù gōng sī de shēng yi yuè lái yuè
祝 公 司 的 生 意 越 来 越

hǎo
好 ！ *more & more*

I wish greater success for the com-

pany.

● 情景对话 Situational Dialogues

1. 身体不适 Poor Health

liú míng xiè zǒng wǒ kě yǐ hé nǐ tán yì tán ma
刘 明 ：谢 总 ，我 可 以 和 你 谈 一 谈 吗？

Liu Ming: Sir, may I talk to you for a moment?

xiè zǒng yǒu shén me shì ma lái wǒ bàn gōng shì tán ba
谢 总 ： 有 什 么 事 吗？来 我 办 公 室 谈 吧。

Mr. Xie: What happened? Come to my office.

(Liu Ming follows Mr. Xie to his office.)

liú míng xiè zǒng jīn tiān wǒ lái shì xiǎng cí qù wǒ xiāo shòu bù jīng lǐ
刘 明 ：谢 总 ，今 天 我 来 ，是 想 辞 去 我 销 售 部 经 理
de zhí wù zhè shì wǒ de cí zhí xìn
的 职 务 ，这 是 我 的 辞 职 信 。

Liu Ming: Sir, I want to resign from my Sales Manager job. Here is my
resignation letter.

(Mr. Xie picks up the resignation letter.)

xiè zǒng yō wèi shén me tū rán yào cí zhí duì gōng sī yǒu shén me yì
谢 总 ： 哟，为 什 么 突 然 要 辞 职？对 公 司 有 什 么 意
jiàn ma
见 吗？

Mr. Xie: Why? Why quit suddenly? Do you have any complaints against
the company?

liú míng bú shì gōng sī de yuán yīn shì wǒ gè rén de wèn tí
刘 明 ：不 是 公 司 的 原 因 ，是 我 个 人 的 问 题 。

Liu Ming: No, it has nothing to do with the company. It's all for personal
reasons.

21

xiè zǒng　　shì bu shì jiā li chū le shén me shì qing
谢 总 ：是 不 是 家 里 出 了 什 么 事 情 ？

Ms. Xie: Anything happened in your family?

liú míng　　bú shì shì wǒ shēn tǐ de yuán yīn zuì jìn yí duàn shí jiān wǒ gǎn
刘 明 ：不 是 ，是 我 身 体 的 原 因 。最 近 一 段 时 间 ，我 感

　　　　　jué yā lì fēi cháng dà wǎn shang jīng cháng shī mián bái tiān
　　　　　觉 压 力 非 常 大 ，晚 上 经 常 失 眠 ，白 天

　　　　　shàng bān yě jīng shén huǎng hū bú yuàn yì hé bié ren shuō huà
　　　　　上 班 也 精 神 恍 惚 ，不 愿 意 和 别 人 说 话 。

Liu Ming: Not at all. It's my health problem. Recently I've been feeling too much pressure and got insomnia. I daze during the day and am unwilling to talk to others.

xiè zǒng　　qù yī yuàn jiǎn chá le ma
谢 总 ：去 医 院 检 查 了 吗 ？

Mr. Xie: Did you get a check-up at the hospital?

liú míng　　wǒ qián jǐ tiān dào yī yuàn jiǎn chá guo
刘 明 ：我 前 几 天 到 医 院 检 查 过 。

Liu Ming: I went to the hospital for a check-up a few days ago.

xiè zǒng　　yī shēng zěn me shuō
谢 总 ：医 生 怎 么 说 ？

Mr. Xie: What did the doctor say?

liú míng　　yī shēng shuō wǒ huàn yǒu yán zhòng de yì yù zhèng jiàn yì wǒ
刘 明 ：医 生 说 我 患 有 严 重 的 抑 郁 症 ，建 议 我

　　　　　xiū xi
　　　　　休 息 。

Liu Ming: The doctor said that I developed serious depression and suggested that I should rest.

xiè zǒng　　nà jiù hǎo hāo xiū xi yí duàn shí jiān ba
谢 总 ：那 就 好 好 休 息 一 段 时 间 吧 。

Mr. Xie: Have some good rest then.

liú míng　　wǒ zài gōng sī gōng zuò de hěn yú kuài　yě hěn xiǎng jì xù
刘 明：我 在 公 司 工 作 得 很 愉 快，也 很 想 继续

　　　　　gān xià qu　bú guò xiàn zài jīng cháng lián xù jǐ tiān shī mián　què
　　　　　干 下 去。不 过 现 在 经 常 连续 几 天 失 眠，确

in fact　*cont* *usually*　*sleepless*
　　　　　shí méi fǎ jì xù zhèng cháng gōng zuò le
　　　　　实 没 法 继续 正 常 工 作 了。

Liu Ming: I had a very good time working at the company. I want to stay

with the company. But with continuous sleepless nights, I can't

work as normal.

xiè zǒng　　yào bu zhè yàng　wǒ fàng nǐ liǎng zhōu de jià　nǐ huí jiā hǎo hāo
谢 总：要 不 这 样，我 放 你 两 周 的假，你 回 家 好 好

　　　　　xiū xi yí xià　huò zhě chū qù lǚ yóu　rú guǒ jué de méi wèn
　　　　　休 息 一 下，或 者 出 去 旅 游，如 果 觉得 没 问

　　　　　tí le　zài huí lai gōng zuò　gōng sī hái shì hěn xū yào nǐ de
　　　　　题 了，再 回 来 工 作。公 司 还 是 很 需 要 你 的，

　　　　　wǒ hěn shě bu de nǐ zǒu
　　　　　我 很 舍 不 得 你 走。

Mr. Xie: Why don't we do this, I will give you two-weeks off. You can

have a good rest or travel around. You can come back to work

when you feel better. The company needs you and I do not

want to let you go.

liú míng　　fēi cháng gǎn xiè nín　dàn shì wǒ bù xiǎng yīn wèi wǒ gè rén de yuán
刘 明：非 常 感 谢 您，但 是 我 不 想 因为 我 个 人 的 原

　　　　　yīn yǐng xiǎng gōng sī de yè wù jìn dù　wǒ hái shi tiáo zhěng yí
　　　　　因 影 响 公 司 的 业 务 进度，我 还 是 调 整 一

develop　　　　　　　　　　*adjust moxic*
　　　　　xià ba
　　　　　下 吧。

Liu Ming: Thank you very much. But I do not want my personal issues to

interfere with the business of the company. I want to take a

break and reorganize.

xiè zǒng   jì rán zhè yàng   wǒ yě bù qiǎng qiú le   xī wàng yǐ hòu wǒ men
谢 总 ： 既 然 这 样 ，我 也 不 强 求 了,希 望 以 后 我 们

hái néng yǒu jī huì hé zuò
还 能 有 机 会 合 作。

Mr. Xie: In that case, I won't force you to stay then. Hope to work with

you in future.

词汇 Vocabulary

哟 yō
hey (usually with surprise)

辞职 cí zhí
resign; quit one's job;
send in one's resignation

恍惚 huǎng hū
as between sleeping and
waking; in a daze

严重 yán zhòng
serious

抑郁症 yì yù zhèng
depression, hypochondria

连续 lián xù
continuous

失眠 shī mián
insomnia

舍不得 shě bu de
hate to part with; be reluctant to

强求 qiǎng qiú
importunity; force to

---

2. 跳槽 Switching Job

liú míng   xiè zǒng   jīn tiān wǒ lái   shì xiǎng cí qù wǒ xiāo shòu bù jīng lǐ
刘 明 ： 谢 总 ,今 天 我 来 ,是 想 辞 去 我 销 售 部 经 理

de zhí wù   zhè shì wǒ de cí zhí xìn
的 职 务 ,这 是 我 的 辞 职 信。

Liu Ming: Sir, I want to resign from my Sales Manager job. Here is my

resignation letter.

(Mr. Xie picks up the resignation letter.)

xiè zǒng   yō   wèi shén me tū rán yào cí zhí   duì gōng sī yǒu shén me yì
谢 总 ：哟 ，为 什 么 突 然 要 辞 职 ？对 公 司 有 什 么 意

jiàn ma
见 吗 ？

Mr. Xie: Why? Why quit suddenly? Do you have any complaints against

the company?

liú míng   bú shì gōng sī de yuán yīn   shì wǒ gè rén de wèn tí
刘 明 ：不 是 公 司 的 原 因 ，是 我 个 人 的 问 题 。

Liu Ming: No, it has nothing to do with the company. It's all for personal

reasons.

xiè zǒng   shì bu shì duì mù qián de gōng zī dài yù bù mǎn yì
谢 总 ：是 不 是 对 目 前 的 工 资 待 遇 不 满 意 ？

Mr. Xie: Aren't you satisfied with your current salary?

liú míng   bú shì de   wǒ zuì jìn gōng zuò de zhuàng tài yì zhí bú shì hěn hǎo
刘 明 ：不 是 的 。我 最 近 工 作 的   状 态 一 直 不 是 很 好 。

wǒ zǐ xì sī kǎo le jǐ tiān   jué de xiāo shòu lèi xíng de gōng
我 仔 细 思 考 了 几 天 ，觉 得 销 售 类 型 的 工

zuò kě néng zhēn de bú shì hé wǒ   wǒ xiǎng chóng xīn xuǎn zé
作 可 能 真 的 不 适 合 我 ，我 想 重 新 选 择

wǒ de zhí yè
我 的 职 业 。

Liu Ming: Not at all. I haven't been doing well at work these days. After

some careful thinking, I feel that sales is really not the right

profession for me. I would like to reconsider my career choice.

xiè zǒng   shì zhè yàng a   jì rán nǐ bú shì yìng zhè ge gōng zuò   kàn lái shì
谢 总 ：是 这 样 啊 。既 然 你 不 适 应 这 个 工 作 ，看 来 是

yīng gāi hǎo hāo kǎo lǜ yí xià   bú guò   nǐ zài gōng sī gōng zuò
应 该 好 好 考 虑 一 下 。不 过 ，你 在 公 司 工 作

de zhè yí duàn shí jiān li　yì zhí qín qín kěn kěn
的这一段 时 间 里,一 直 勤 勤 恳 恳。

Mr. Xie: Oh, is that so!　Since you are not comfortable with this job, you
should seriously reconsider then. However, you have been
consistently dedicated.

liú míng　yóu yú duì xiāo shòu gōng zuò bù gǎn xìng qù　ér qiě wǒ de xìng
刘 明 : 由于对 销 售 工 作 不 感 兴 趣,而 且 我 的 性

gé bǐ jiào chén mò　yě bú shàn cháng yǔ rén dǎ jiāo dào　suǒ yǐ
格 比 较 沉 默,也 不 擅 长 与 人 打 交 道,所 以

suī rán yǒu lǐng dǎo hé tóng shì de bāng zhù　wǒ hái shi méi yǒu
虽 然 有 领 导 和 同 事 的 帮 助, 我 还 是 没 有

chéng jiù gǎn
成 就 感。 *achievement*

Liu Ming: I am not really interested in sales. Also I have personalities of an
introvert and am not very good at socializing. Even with the help
of both you and other colleagues, it's difficult for me to feel any
sense of achievement.

xiè zǒng　jì rán zhè yàng　wǒ yě bú biàn wǎn liú nǐ le　jīn hòu yǒu shén me
谢 总 : 既 然 这 样 , 我 也 不 便 挽 留 你 了。今后 有 什 么 *future*

dǎ suàn a
打 算 啊? *inconvenient*

Mr. Xie: If that's the case, I could not ask you to stay anymore. Any plans
for future?

liú míng　wǒ hái shi bǐ jiào xǐ huan chuàng yì xìng de gōng zuò　dǎ suàn
刘 明 : 我 还 是 比 较 喜 欢 创 意 性 的 工 作,打 算 *creative*

qù xué xí yí xià guǎng gào fāng miàn de zhī shi　jīn hòu cháo
去 学 习一下 广 告 方 面 的 知 识,今后 朝

zhè ge fāng xiàng fā zhǎn
这 个 方 向 发 展。 *direction*

Liu Ming: I like creative work. I plan on learning more about advertising and developing in that area in the future.

xiè zǒng　hǎo de　zhù nǐ shùn lì　nǐ kàn nǐ lí kāi yǐ hòu　xiāo shòu bù
谢 总 ：好的，祝你顺利。你看你离开以后，销售部

jīng lǐ de zhí wù yǒu méi yǒu rén kě yǐ tuī jiàn
经 理 的 职 务 有 没 有 人 可 以 推 荐？

Mr. Xie: Well. Wish you good luck then. Do you have anyone you can

recommend for your position?

liú míng　wǒ yǒu yí ge tóng xué　yì zhí zuò xiāo shòu gōng zuò　xiàn zài
刘 明 ：我 有 一 个 同 学，一 直 做 销 售 工 作，现 在

zhèng zhǔn bèi lí kāi yuán lái de gōng sī　nín yào shi yǒu xìng qù
正 准 备 离 开 原 来 的 公 司。您 要 是 有 兴 趣，

wǒ kě yǐ jiè shào tā lái　wǒ jué de tā zài yì xiē fāng miàn
我 可 以 介 绍 他 来，我 觉 得 他 在 一 些 方 面

yào gèng shèng yú wǒ
要 更 胜 于 我。

Liu Ming: I have a schoolmate who has been in sales for many years. Now

he is planning on leaving his company. I could introduce him if

you are interested. I believe he is better than me in some aspects.

xiè zǒng　hǎo de　nǐ hé tā yuē yí xià　kàn shén me shí hou néng jiàn
谢 总 ：好 的，你 和 他 约 一 下，看 什 么 时 候 能 见

jian miàn
见 面。

Mr. Xie: That's good. Please make an appointment for us and see when

we can meet in person.

liú míng　gǎn xiè nín zài guò qù de gōng zuò zhōng duì wǒ de zhào gù　zhù
刘 明 ：感 谢 您 在 过 去 的 工 作 中 对 我 的 照 顾，祝

gōng sī de shēng yi yuè lái yuè hǎo
公 司 的 生 意 越 来 越 好！

Liu Ming: Thank you for all your consideration in the past. I wish greater

success for the company.

词汇 Vocabulary

勤勤恳恳 qín qín kěn kěn
industrious, dedicated, studious, assiduous in work or study

沉默 chén mò
silent

擅长 shàn cháng
be good at; excel

挽留 wǎn liú
persuade someone to stay, urge someone to stay

推荐 tuī jiàn
recommendation; recommend

见见面 jiàn jiàn miàn
meet; meet in person

相关用语 Relevant Expressions

亚健康
yà jiàn kāng / subhealth

白领
bái lǐng / white-collar

跳槽
tiào cáo / job-hopping; switch job

离职
lí zhí / leave one's post; retire from office, separate from service

劳资纠纷
láo zī jiū fēn / dissension between labor and capital

性格内向
xìng gé nèi xiàng / introverted character; shy or reserved

职业定位
zhí yè dǐng wèi / set direction of profession

猎头
liè tóu / headhunter

语言文化小贴士 Language Tips

yì yù zhèng
抑郁 症

随着中国经济的发展,物质财富的增加,人们的工作越来越紧张,精神的压力也越来越大,因此心理健康也越来越受到人们的重视。据有关资料统计,中国人口中抑郁症的发病率占 3%－5%,而抑郁症患者自杀率也远远高于普通人,因此抑郁症目前受到了社会的广泛关注。"抑郁"原本是非常书面的用语,而现在人们在口语中经常用"抑郁"或"郁闷"来表达不满情绪或开玩笑。

The persistent neurotic conviction that one is or is likely to become ill, often involving experiences of real pain when illness is neither present nor likely. With the fast development and increasing pressure of modern society, nowadays Chinese people pay more attention to mental health. According to statistics, 3% to 5% of the Chinese population suffer from hypochondria (depression). People with hypochondria also have higher suicide rate than others. "Yì yù" used to be a professional expression, while "yù mèn" is somewhat colloquial. Now people use these words to express dissatisfaction or to make a joke.

● 练习 Exercises

1. 完成句子 Complete the following sentences.

1) 我想辞去我销售部经理的职务,_____。(辞职)

2）我仔细思考了几天，_____。（不适合）

3）既然这样，_____。（强求）

2. 选词填空 Fill in the blanks with the words given below.

失眠　　照顾　　继续

1）感谢过去的工作中您对我的_____。

2）我感觉压力非常大，晚上经常_____。

3）我在公司工作得也很愉快，也很想_____干下去。

工作交接
Job Handover

UNIT 4

● 必备用语 Key Expressions

tā yuē wǒ zhè ge shí jiān lái jiàn tā
他约我这个时间来见他。
I'm scheduled to meet him at this time.

wǒ hé tā jǐ nián qián rèn shi de
我和他几年前认识的，
guān xì yì zhí hěn hǎo
关系一直很好。
I met him several years ago. We are good friends.

nǐ de zhuān yè hěn duì kǒu
你的专业很对口。
Your major is quite the right fit for the job.

wǒ bèi yì jiā diàn qì gōng sī rèn
我被一家电器公司任
mìng wèi huá běi qū de zhǔ guǎn
命为华北区的主管。
I was appointed the supervisor of Northern China area at an electronics company.

wǒ duì nà jiā gōng sī de fā zhǎn qián
我对那家公司的发展前
jǐng sàng shī xìn xīn
景丧失信心。
I have lost confidence in the future of that company.

nǐ shuō de hěn yǒu dào li
你说得很有道理。
That's a good point.

wǒ jīng cháng tīng liú míng shuō guì
我经常听刘明说贵
gōng sī de shì qing
公司的事情。
I often heard about your company from Liu Ming.

wǒ xiāng xìn tā tuī jiàn de rén yí
我相信他推荐的人一
dìng bú cuò
定不错。
I have faith in his recommendation.

zhè jiàn shì jiù zhè me dìng le
这件事就这么定了。
It's a deal. It's decided.

nǐ jǐn kuài lái shàng bān ba
你尽快来上班吧。
You could start working as soon as possible.

31

● 情景对话 Situational Dialogues

1. 合适的接班人 Appropriate Successor

谢 总：李 园，一会儿有个叫 王 文 的来找我,你让
他 直接进来吧。

Mr. Xie: Li Yuan, A guy named Wang Wen will come to see me in a while.
You can take him to my office directly.

秘书：好 的。

Secretary: OK.

(After some time)

王 文：您好,我叫 王 文, 请 问 谢 总 在不在?他
约 我 这 个 时 间 来 见 他。

Wang Wen: Hi, I am Wang Wen. Is Mr. Xie in? I'm scheduled to meet
him at this time.

秘书：哦,王 先 生 啊,谢 总 正 等 着您呢。

Secretary: Oh, Mr. Wang, Mr. Xie is waiting for you.

(Guided by the secretary, Wang Wen walks into the general
manager's office.)

秘书：谢 总 , 王 文 先 生 来了。

Secretary: General manager, Mr.Wang is here.

xiè zǒng   ò wáng xiān sheng nǐ hǎo
谢 总 ：哦，王 先 生 ，你 好！

Mr.Xie: Oh, Mr. Wang, nice to meet you.

wáng wén   xiè zǒng nín hǎo
王 文 ：谢 总 ，您 好！

Wang Wen: Nice to meet you, too.

xiè zǒng   qǐng zuò
谢 总 ：请 坐。

Mr.Xie: Sit down, please.

wáng wén   xiè xie
王 文 ：谢 谢。

Wang Wen: Thank you.

xiè zǒng   nǐ hé liú míng shì péng you
谢 总 ：你 和 刘 明 是 朋 友？

Mr.Xie: You are a friend of Liu Ming's?

wáng wén   shì de wǒ hé tā jǐ nián qián rèn shi de guān xì yì zhí hěn hǎo
王 文 ：是 的，我 和 他 几 年 前 认 识 的，关 系 一 直 很 好。

Wang Wen: Yes, I met him several years ago. We are good friends.

xiè zǒng   qǐng wèn nǐ shì shén me xué lì
谢 总 ：请 问 你 是 什 么 学 历？

Mr.Xie: What is your educational background?

wáng wén   wǒ shì dà xué běn kē bì yè xué shì xué wèi
王 文 ：我 是 大 学 本 科 毕业，学 士 学 位。

Wang Wen: I graduated with a bachelor's degree.

xiè zǒng   nǐ dú de nǎ ge dà xué zhuān yè shì shén me
谢 总 ：你 读 的 哪 个 大 学？专 业 是 什 么？

Mr.Xie: Which college did you study at? What was your major?

wáng wén   wǒ zài zhōng yāng cái jīng dà xué niàn de shū zhuān yè shì
王 文 ：我 在 中 央 财 经 大 学 念 的 书，专 业 是
shì chǎng yíng xiāo
市 场 营 销。

Wang Wen: I went to Central University of Finance and Economics, and majored in Marketing.

xiè zǒng   bú cuò a   nǐ de zhuān yè hěn duì kǒu
谢 总 ：不 错 啊,你 的 专 业 很 对 口 。

Mr.Xie: Very nice. Your major is quite the right fit for the job.

wáng wén   zhè jǐ nián de gōng zuò jīng yàn duì wǒ de yè wù hěn yǒu bāng
王 文 ：这 几 年 的 工 作 经 验 对 我 的 业 务 很 有 帮

zhù   dàn wǒ yě fā xiàn zì jǐ de hěn duō bù zú
助 , 但 我 也 发 现 自 己 的 很 多 不 足 。

Wang Wen: The past few years of work experience helps with my career development, though there is also much room for me to improve.

词汇 Vocabulary

接班人 jiē bān rén
successor

直接 zhí jiē
directly

引导 yǐn dǎo
to show or indicate the way for; pilot

关系 guān xì
relationship

市场营销 shì chǎng yíng xiāo
marketing, sales

专业对口 zhuān yè duì kǒu
be geared to the needs of the job; right fit for the job

不足 bù zú
lack, shortage

2. 销售的行家里手 Expert in Sales

xiè zǒng   liú míng zuì jìn gāng gāng cóng wǒ men gōng sī cí zhí   tā zǒu
谢 总 ：刘 明 最 近 刚 刚 从 我 们 公 司 辞 职,他 走

de shí hou tuī jiàn nǐ lái jiē tì tā de gōng zuò   nǐ yǐ qián zài
的 时 候 推 荐 你 来 接 替 他 的 工 作 ,你 以 前 在

xiāo shòu bù mén gōng zuò guo ma
销　售　部　门　工　作　过　吗？

Mr.Xie：Liu Ming just left our company. He recommended you to replace

him. Do you have any work experience in sales?

wáng wén　　wǒ dà xué bì yè yǐ hòu dì yī fèn gōng zuò jiù shì zài yì jiā shí
王　文：我大学毕业以后第一份　工　作就是在一家食

yòng yóu gōng sī zuò xiāo shòu　dào xiàn zài yǐ jīng yǒu bā
用　油　公　司作销　售，到　现　在已经有八

nián le
年　了。

Wang Wen: My first job after graduation was the salesman of a cooking

oil company. It was eight years ago.

xiè zǒng　　nà nǐ zài xiāo shòu bù mén zuì gāo de zhí wù shì shén me
谢　总：那你在销　售　部　门　最　高的职务是什　么？

Mr.Xie: What is the highest position you've ever held in sales?

wáng wén　　sān nián qián wǒ bèi yì jiā diàn qì gōng sī rèn mìng wèi huá běi
王　文：三　年　前我被一家电器公　司任　命　为　华北

qū de zhǔ guǎn　yì zhí zài zhè ge zhí wèi gōng zuò dào xiàn zài
区的主　管，一直在这个职位工　作到　现　在。

Wang Wen: I was appointed the supervisor of Northern China area three

years ago at an electronics company and I have been in that

position until now.

xiè zǒng　　bú cuò a　nà nǐ wèi shén me yào lí kāi nà jiā gōng sī ne
谢　总：不错啊，那你为　什　么要离开那家公　司呢？

Mr.Xie: That sounds good. Why do you want to leave your current

company?

wáng wén　　wǒ duì nà jiā gōng sī de fā zhǎn qián jǐng sàng shī xìn xīn
王　文：我对那家公　司的发展　前　景　丧失信心。

Wang Wen: I have lost confidence in the future of that company.

xiè zǒng　　yuán yīn shì shén me ne
谢 总： 原 因 是 什 么 呢？

Mr.Xie: What's the reason?

wáng wén　　jiā diàn shì chǎng xiàn zài jìng zhēng běn lái jiù jī liè　zhǐ yǒu
王 文： 家 电 市 场　现 在 竞　争　本 来 就 激烈， 只 有

　　　　bú duàn tí shēng chǎn pǐn zhì liàng　cái néng zài jìng zhēng
　　　　不 断 提 升　产 品 质 量 ， 才 能 在 竞　争

　　　　zhōng bù shī bài
　　　　中　不 失 败。

Wang Wen: The competition in the consumer appliances market has been

　　　　very rigorous. The only way to stay ahead in the competition

　　　　is to continuously increase product quality.

xiè zǒng　　nǐ shuō de hěn yǒu dào li
谢 总：你 说 得 很 有 道 理。

Mr.Xie: That's a good point.

wáng wén　　ér xiàn zài gōng sī guǎn lǐ céng rè zhōng yú tóu jī　jiāng
王 文： 而 现 在 公 司 管 理 层 热 衷 于 投 机 ， 将

　　　　dà liàng zī jīn tóu rù dào bù shú xi de fáng dì chǎn háng yè
　　　　大 量 资 金 投 入 到 不 熟 悉 的 房 地 产　行 业

　　　　hé gǔ shì　jié guǒ sǔn shī cǎn zhòng　tóng shí gōng sī chǎn
　　　　和 股 市， 结 果 损 失 惨　重 。同 时 公 司 产

　　　　pǐn de zhì liàng què bú duàn xià jiàng　zhè lìng wǒ duì gōng
　　　　品 的 质 量 却 不 断 下 降 。这 令 我 对 公

　　　　sī gāo céng hěn shī wàng
　　　　司 高 层 很 失 望 。

Wang Wen: But the management of the company is more passionate about

　　　　investment. They put lots of funds into real estate and stock

　　　　market, resulting in major losses. The quality of the products has been declining at the same time. I'm very disappointed with the management.

谢总：嗯，这就叫"不务正业"啊。

Mr.Xie: Oh, that's called "not focusing on the core business".

王文：我经常听刘明说贵公司的事情。贵公司的经营理念我很认同，我很想到贵公司来工作，所以当刘明说推荐我来接替他的工作时，我非常高兴。

Wang Wen: I often heard about your company from Liu Ming. I agree with the company's management principles and therefore I really want to work here. I was very happy when I found out that Liu Ming had recommended me to replace him.

谢总：刘明在我们公司工作了很长时间，我相信他推荐的人一定不错。好，这件事就这么定了，你尽快来上班吧。

Mr.Xie: Liu Ming has worked here for a long time. I have faith in his recommendation. OK, It's a deal. You can start working as soon as possible.

王文：好的。

Wang Wen: Great.

词汇 Vocabulary

刚刚 gāng gang
just now

接替 jiē tì
relay, succeed; take over,
hand over

主管 zhǔ guǎn
director, supervisor

丧失信心 sàng shī xìn xīn
lose one's confidence

激烈竞争 jī liè jìng zhēng
strong competition;
fierce competition

提升 tí shēng
improve, advance, raise

质量 zhì liàng
quality

热衷于 rè zhōng yú
be wild about; be passionate

about

投机 tóu jī
venture, gamble

房地产 fáng dì chǎn
real estate; property

股市 gǔ shì
stock market

损失惨重 sǔn shī cǎn zhòng
disastrous; heavy loss

不务正业 bú wù zhèng yè
not attend to one's proper work
or duties; not focus on the core
business

经营理念 jīng yíng lǐ niàn
idea of business; management or
business principles

赞同 zàn tóng
agree with

相关用语 Relevant Expressions

行家里手 háng jiā lǐ shǒu
expert; a person with expert
knowledge or training

专家
zhuān jiā / expert

总监
zǒng jiān / supervisor

级别
jí bié / rank, level

销售策略
xiāo shòu cè lüè /
marketing strategy

公司战略
gōng sī zhàn lüè / corporate
strategy

业内人士
yè nèi rén shì / subject expert

投资
tóu zī / investment

资深人士
zī shēn rén shì / senior person
with a large amount of
knowledge and experience

长远规划
cháng yuǎn guī huà /
long-term programming,
long-term strategy or planning

语言文化小贴士
Language Tips

huá běi dì qū
1. 华 北 地 区

中国大陆地区按地理位置分为七个大区：

华东地区(山东、江苏、安徽、浙江、福建、江西、上海)；

华南地区(广东、广西、海南)；

华中地区(湖北、湖南、河南)；

华北地区(北京、天津、河北、山西、内蒙古)；

西北地区(宁夏、新疆、青海、陕西、甘肃)；

西南地区(四川、云南、贵州、西藏、重庆)；

东北地区(辽宁、吉林、黑龙江)；

The land of China can be divided into seven geographic areas:

East China (Shandong, Jiangsu, Anhui, Zhejiang, Fujian, Jiangxi, Shanghai)

South China (Guangdong, Guangxi, Hainan)

Central China (Hubei, Hunan, Henan)

North China (Beijing, Tianjin, Hebei, Shanxi, Inner Mongolia)

Northwest China (Ningxia, Xinjiang, Qinghai, Shanxi, Gansu)

Southwest China (Sichuan, Yunnan, Guizhou, Tibet, Chongqing)

Northeast China (Liaoning, Jilin, Heilongjiang)

guì gōng sī
2. 贵 公 司

"贵"指的是社会地位高,而在口语中多用于敬辞,尊称与对方有关的事物。比如称呼对方的国家为"贵国",称呼对方的所在地区为"贵府"或"贵地",对方所在的公司为"贵公司"。"贵"还用在一些询问的语句中,也是有礼貌、体现尊敬的语气,比如"有何贵干?",是指来这儿有什么事情;"先生贵庚?",是询问对方年龄的敬语;"先生贵姓?",是询问他人之姓的敬语。而"贵人多忘事",则多用于讽刺他人记性不好,好忘事。

"Guì" is equal to "your" in English. Its original meaning is "noble". It is used as showing respect or honor to others, for example, calling other's country as "guì guó", calling other's place as "guì fǔ" or "guì dì", calling other's company as "guì gōng sī". It is also used in some interrogative sentences, such as "yǒu hé guì gàn?(What are you here for?)", "guì gēng?(May I know your age?)", "xiān shēng guì xìng?(Your name, please.)" The phrase "guì rén duō wàng shì" means honorable men tend to forget things, however, now it is used to satirize bad memory.

● 练习 Exercises

1. 选词填空 Fill in the blanks with the words given below.

不足　　推荐　　丧失　　热衷　　接替

1）如果一个人＿＿＿了信心，将无法在竞争中取胜。

2）小张将＿＿＿离职的小李担任销售部经理的职务。

3）我们的老板＿＿＿于房地产投资。

4）他发现自己还有很多＿＿＿。

5）感谢你＿＿＿的人选，我们对她很满意。

2. 完成句子 Complete the following sentences.

1）我学的是市场营销，＿＿＿＿＿＿。（专业对口）

2）＿＿＿＿＿＿，才能在竞争中不失败。（提升）

3）我离开那家公司，＿＿＿＿＿＿。（对……失去信心）

4）这个季度的销售数据出来了，＿＿＿＿＿＿。（令……失望）

Regular Meeting

例会 UNIT 5

● 必备用语 Key Expressions

rén dào qí le
人 到 齐 了。
Everyone is here.

xiàn zài kě yǐ kāi shǐ kāi huì le
现 在 可以 开 始 开 会 了。
Meeting can start now.

dà jiā lún liú fā yán
大家 轮 流 发 言 。
Everyone may take turns to speak.

yóu nǐ kāi shǐ ba
由 你 开 始 吧。
We will start with you.

duì   nǐ zěn me kàn
对 …… 你 怎 么 看？
What's your opinion on... ?

jīn tiān shí jiān yǒu xiàn
今 天 时 间 有 限 。
We do not have enough time to discuss this right now.

huì hòu wǒ men zài jù tǐ tǎo lùn
会 后 我 们 再 具体 讨 论 。
We will discuss them in detail later.

zhè ge rèn wù jiù jiāo gěi nǐ le
这 个 任 务 就 交 给 你 了。
You take charge of this task then.

dà jiā hái yǒu bié de wèn tí ma
大家 还 有 别 的 问 题 吗？
Are there any other questions?

sàn huì
散 会 。
The meeting is over now.

jiè zhè ge jī huì dà sì xuān chuán
借 这 个 机 会 大 肆 宣 传
try to take this opportunity to advertise aggressively

● 情景对话 Situational Dialogues

1. 汇报工作 Reporting Works

mì shū   xiè zǒng   rén dào qí le   xiàn zài kě yǐ kāi shǐ kāi huì le
秘 书：谢 总 ，人 到 齐 了，现 在 可以 开 始 开 会 了。
Secretary: General manager, everyone is here. We can start the meeting now.

xiè zǒng   hǎo kāi shǐ ba jīn tiān shì měi jì dù de lì huì dà jiā lún liú fā
谢 总 ： 好 , 开 始 吧。今 天 是 每 季 度 的 例 会 , 大 家 轮 流 发

yán wáng wén yóu nǐ kāi shǐ ba
言 。 王 文 , 由 你 开 始 吧。

Mr. Xie: OK, let's start. This is our quanterly meeting. Everyone may take
turns to speak. Wang Wen, we will start with you.

wáng wén   zhè ge jì dù de xiāo shòu é yǔ shàng jì dù chí píng dàn shì
王 文 : 这 个 季 度 的 销 售 额 与 上 季 度 持 平 , 但 是

kǎo lǜ dào zhè ge jì dù shì xiāo shòu dàn jì zhè ge chéng
考 虑 到 这 个 季 度 是 销 售 淡 季 , 这 个 成

jì yīng gāi hái bú cuò bú guò wǒ men de jìng zhēng duì shǒu
绩 应 该 还 不 错 。不 过 我 们 的 竞 争 对 手

tài wén gōng sī zhǔn bèi zài zuì jìn zhǎn kāi yì lún dà guī mó
泰 文 公 司 准 备 在 最 近 展 开 一 轮 大 规 模

de cù xiāo huó dòng wǒ jiàn yì wǒ men yīng gāi zhēn fēng
的 促 销 活 动 , 我 建 议 我 们 应 该 针 锋

xiāng duì yě cè huà yì lún lèi sì de huó dòng
相 对 , 也 策 划 一 轮 类 似 的 活 动 。

Wang Wen: Sales of this quanter is leveled with last one. Considering
this is a low season for sales, this result was not bad. But our
competitor, Tai Wen Company recently started a large-scale
promotion. I suggest that we should do the same and start
similar promotions.

xiè zǒng   ǹg dèng huá duì yú tài wén gōng sī zhè cì de cù xiāo huó dòng
谢 总 : 嗯 , 邓 华 , 对 于 泰 文 公 司 这 次 的 促 销 活 动 ,

nǐ zěn me kàn
你 怎 么 看 ?

Mr. Xie: Er, Deng Hua, what's your opinions on Tai Wen's promotion?

dèng huá   cóng xià ge jì dù kāi shǐ wǒ men de chǎn pǐn xiāo shòu jiāng
邓 华 : 从 下 个 季 度 开 始 , 我 们 的 产 品 销 售 将

zhú jiàn jìn rù wàng jì　rú guǒ wǒ men bù jí shí yīng duì tài wén
逐 渐 进 入 旺 季。如 果 我 们 不 及 时 应 对 泰 文

gōng sī de zhè ge huó dòng　bì rán yǐng xiǎng wǒ men chǎn pǐn
公 司 的 这 个 活 动 ,必 然 影 响 我 们 产 品

zài wàng jì de xiāo shòu　tài wén gōng sī de shì chǎng zhàn yǒu
在 旺 季 的 销 售。泰 文 公 司 的 市 场 占 有

lǜ běn lái lüè xùn wǒ men yì chóu　qū jū dì èr míng　wǒ kàn
率 本 来 略 逊 我 们 一 筹 ,屈 居 第 二 名 ,我 看

tā men shì xiǎng jiè zhè ge jī huì dà sì xuān chuán
他 们 是 想 借 这 个 机 会 大 肆 宣 传 ,

rán hòu chāo guò wǒ men chéng wèi dì yī míng　zhè yàng huì
然 后 超 过 我 们 成 为 第 一 名。这 样 会

duì wǒ men gōng sī de xíng xiàng chǎn shēng hěn fù miàn de
对 我 们 公 司 的 形 象 产 生 很 负 面 的

yǐng xiǎng
影 响。

Deng Hua: Starting next quanter we enter our busy sales season. If we do
not respond to Tai Wen's promotion in a timely manner, it will
affect our sales. Tai Wen's market share has always been
behind us in the second place. I think they are trying to take
this opportunity to advertise aggressively, and then surpass us.
This will impact our company's image in very negative ways.

xiè zǒng　bú cuò　bù néng ràng tā men dé chěng
谢 总 :不 错。不 能 让 他 们 得 逞。

Mr. Xie: You are right. We cannot let them succeed.

dèng huá　qǐ huà bù yǐ jīng shè jì le jǐ ge cǎo àn　zhǔn bèi zài tài wén
邓 华 :企 划 部 已 经 设 计 了 几 个 草 案 ,准 备 在 泰 文

gōng sī zhǎn kāi huó dòng de tóng shí　yě zhǎn kāi yì lún duì
公 司 展 开 活 动 的 同 时 ,也 展 开 一 轮 对

běn gōng sī chǎn pǐn de xuān chuán hé cù xiāo huó dòng
本 公 司 产 品 的 宣 传 和 促 销 活 动 。

Deng Hua: The Planning Department has developed several project plans. We are planning to start our promotions and activities at the sametime when Tai Wen begins with theirs.

xiè zǒng　jīn tiān shí jiān yǒu xiàn　huì hòu qǐng nǐ bǎ nǐ men shè jì de cǎo
谢 总 : 今 天 时 间 有 限 , 会 后 请 你 把 你 们 设 计 的 草

àn sòng dào wǒ nà li　wǒ men zài jù tǐ tǎo lùn
案 送 到 我 那 里 。我 们 再 具 体 讨 论 。

Mr. Xie: We do not have enough time to discuss this right now. Please give me the plan drafts after the meeting. And we will discus them in detail later.

词汇 Vocabulary

例会 lì huì
regular meeting

季度 jì dù
quarter

轮流 lún liú
in turn; take turns

持平 chí píng
equal; keep balance

淡季 dàn jì
a dead season; low season

一轮 yì lún
a round; one round

促销 cù xiāo
sales promotion

针锋相对 zhēn fēng xiāng duì
tit for tat (direct competition)

策划 cè huà
plan

应对 yìng duì
respond

旺季 wàng jì
midseason; high season, busy season

略逊一筹 lüè xùn yì chóu
be inferior to

屈居第二名 qū jū dì èr míng
occupy the second place

大肆 dà sì	得逞 dé chěng
wantonly; without restraint	succeed, prevail
负面 fù miàn	企划部 qǐ huà bù
negative; lacks all positive,	Planning Department
affirmative or encouraging	草案 cǎo àn
features	draft

2. 通力协作 Cooperating

xiè zǒng   yáng lì   běn jì dù gōng chǎng nà li de qíng kuàng zěn me yàng
谢 总 ： 杨 立, 本 季 度 工 厂 那 里 的 情 况 怎 么 样 ？

Mr. Xie: Yang Li, how is the factory's performance this quanter?

yáng lì   zhè ge jì dù de shēng chǎn rèn wù yǐ jīng quán bù wán chéng
杨 立 ： 这 个 季 度 的 生 产 任 务 已 经 全 部 完 成 ，

chǎn pǐn hé gé lǜ yě dá dào le gōng sī guī dìng de yāo qiú
产 品 合 格 率 也 达 到 了 公 司 规 定 的 要 求。

Yang Li: The production goal for the quanter has been met. The qualification

rate of the products also meets the company's requirement.

xiè zǒng   ng nǐ de gōng zuò biǎo xiàn wǒ hěn mǎn yì   zhuǎn xiàng mǎ
谢 总 ： 嗯, 你 的 工 作 表 现 我 很 满 意。(转 向 马

tāo   duì le   mǎ tāo wǒ jì de nǐ shuō guo nǐ duì rú hé jiàng dī
涛) 对 了, 马 涛, 我 记 得 你 说 过 你 对 如 何 降 低

shēng chǎn chéng běn yǒu yí dìng jīng yàn   suī rán nǐ gāng lái bù
生 产 成 本 有 一 定 经 验。虽 然 你 刚 来 不

jiǔ   bú guò yǐ nǐ xiàn zài duì gōng sī shēng chǎn fāng miàn de liǎo
久, 不 过 以 你 现 在 对 公 司 生 产 方 面 的 了

jiě   nǐ jué de wǒ men hái yǒu méi yǒu jiàng dī chéng běn de yú dì
解, 你 觉 得 我 们 还 有 没 有 降 低 成 本 的 余 地？

Mr. Xie: I am quite satisfied with your performance at the factory. (To Ma

Tao) By the way, Ma Tao, I remember you have experience in production cost reduction. Although you haven't been here for long, based on your understanding of our company's production process, do you see any opportunities for lowering the production cost?

mǎ tāo　　wǒ duì gōng sī shēng chǎn fāng miàn jìn xíng le yì xiē yán jiū
马 涛 ： 我 对 公 司 生 产 方 面 进 行 了 一 些 研 究 ，

　　　　　yǐ wǒ de jīng yàn　kě yǐ zài shēng chǎn liú chéng shang jìn xíng
　　　　　以 我 的 经 验 ，可 以 在 生 产 流 程 上 进 行

　　　　　yōu huà
　　　　　优 化 。

Ma Tao: I have conducted some research on the production process. According to my experience, I think the process line could be optimized.

xiè zǒng　　hǎo　zhè ge rèn wù jiù jiāo gěi nǐ le
谢 总 ： 好 ，这 个 任 务 就 交 给 你 了 。

Mr. Xie: OK, you take charge of this task then.

yáng lì　　mǎ tāo　rú guǒ yǒu rèn hé xū yào　bǐ fāng shuō xū yào shù jù
杨 立 ： 马 涛 ，如 果 有 任 何 需 要 ，比 方 说 需 要 数 据

　　　　　hé zī liào　wǒ yí dìng quán lì xié zhù nǐ
　　　　　和 资 料 ，我 一 定 全 力 协 助 你 。

Yang Li: Ma Tao, I will assist you if you need any help such as gathering data or information.

xiè zǒng　　hěn hǎo　xī wàng dà jiā néng jiā qiáng xié zuò
谢 总 ： 很 好 ，希 望 大 家 能 加 强 协 作 。

Mr. Xie: Very good. I hope everyone will contribute to the teamwork.

dèng huá　　duì shēng chǎn liú chéng fāng miàn de gǎi dòng　kě néng huì
邓 华 ： 对 生 产 流 程 方 面 的 改 动 ，可 能 会

　　　　　zài rén yuán ān pái shang yǒu xiē yǐng xiǎng　zuì jìn gōng sī
　　　　　在 人 员 安 排 上 有 些 影 响 。最 近 公 司

gāng gāng hé gōng chǎng de xǔ duō yuán gōng xù qiān le
刚 刚 和 工 厂 的 许多 员 工 续签 了
láo dòng hé tong rú guǒ chū xiàn jiào dà biàn dòng gōng sī kě
劳 动 合同 ,如果 出 现 较 大 变 动 , 公 司 可
néng huì yǒu fǎ lǜ shang de má fan
能 会 有 法律 上 的 麻烦。

Deng Hua: Personnel arrangements may be affected if there are any changes in the production process line. We just renewed labor contracts with many workers. There may be legal issues if the changes are too dramatic.

xiè zǒng zhè ge yě yào kǎo lǜ mǎ tāo nǐ xiān bǎ nǐ de yán jiū fāng àn
谢 总 : 这 个 也 要 考 虑。马 涛 ,你 先 把 你 的 研 究 方 案
ná chū lai zán men zài jù tǐ wèn tí jù tǐ jiě jué shí jiān bù zǎo
拿 出 来,咱 们 再 具体 问 题 具体 解决。时 间 不 早
le dà jiā hái yǒu bié de wèn tí ma méi yǒu hǎo sàn huì
了,大家 还 有 别 的 问 题 吗？没 有？好 ,散会。

Mr. Xie: This should be taken into consideration. Ma Tao, present your plan first, and we will discuss in detail. It's getting late. Are there any other questions? No? OK. The meeting is over now.

词汇 Vocabulary

合格率 hé gé lǜ
qualification rate

降低成本 jiàng dī chéng běn
reduce cost

余地 yú dì
space, leeway

生产流程 shēng chǎn liú chéng
production process

优化 yōu huà
optimize

协助 xié zhù
assist, help

续签合同 xù qiān hé tong
continue the contract, renew the contract

相关用语 Relevant Expressions

年度
nián dù / annual

财务报告
cái wù bào gào /
financial report

利润率
lì rùn lǜ / profit margin

销售额
xiāo shòu é / sale, sales

成本核算
chéng běn hé suàn /
cost calculation

市场营销
shì chǎng yíng xiāo /
marketing and sales

广告宣传
guǎng gào xuān chuán /
advertisement and promotion

竞争者
jìng zhēng zhě / competitor

让利
ràng lì / give up some benefits

有奖销售
yǒu jiǎng xiāo shòu /
awarding sales; promotion with
rewards

品牌
pǐn pái / brand

优化组合
yōu huà zǔ hé /
optimizing combination

研发中心
yán fā zhōng xīn /
research and development center

语言文化小贴士
Language Tips

dì yī míng

1. 第一 名

汉语中表达各类竞赛或者竞争中的"第一"有很多方式。在比赛中获得第一名的人,称为"冠军";第二名称为"亚军";第三名称为"季军"。在古代,科举考试一般要张榜公布考试名次,榜上第一名就称为"榜首"。经过科举普考后,进入殿试并考取第一名的人称为"状元",第二名为"榜眼",第三名为"探花"。"魁首"中的"魁"指为首的、领头的。"魁首"就是第一。而"夺魁"就是表示"夺得了第一名"。"甲"表示第一,如"桂林山水甲天下"其中的"甲"是第一位的意思。

There are several ways to express the first place in Chinese. One that wins the first place or prize in a competition could be called as "guàn jūn", the second as "yà jūn", the third as "jì jūn". In ancient China, the first place in imperial examination was called as "bǎng shǒu", because the result of the examination needed to be posted. "Zhuàng yuán" is the Number One Scholar title conferred on the one who came first in the highest imperial examination, the second is "bǎng yǎn", and the third is "tàn huā". "Kuí shǒu" means "the brightest and best", "duó kuí" means "win the first prize". "Jiǎ" means "occupying the first place". For example, there is a phrase to express the outstanding scenic views of Guilin, "guì lín shān shuǐ jiǎ tiān xià (East or west, Guilin landscape is best)."

　　bāo yì　biǎn yì
2. 褒义、贬义

　　汉语词汇的一个突出特色就是,词语可以按感情色彩分为褒义、贬义和中性三种,以反映说话人对所陈述事物的态度和感情。如"煽动"属于贬义,"鼓动"属于中性;"成果"属于褒义,"后果"属于贬义,"结果"属于中性。如果选用不当,会影响表达的效果,造成交际的障碍,严重时还会致使交际失败。比如"老者、老家伙、老人"都可以指年龄大的人,分别含有褒义、贬义或中性的感情色彩。如果称呼你尊敬的人为"老家伙",既显示说话人缺乏教养,又得罪了对方,后果是可想而知的。

Most Chinese words have strong emotional connotation, such as commendatory terms, derogatory terms or neutral words. If a word is used in the wrong way to express certain emotional connotations it could cause misunderstanding. For example, when we address elders, we can use "lǎo zhě, lǎo rén". But if we use "lǎo jiā huo" which has a sense of disparage, it is quite impolite and rude.

● 练习 **Exercises**

1. 完成句子 Complete the following sentences.

　1）从这个季度的情况看,销售额与上个季度_____。(持平)

　2）这个季度是_____,这个成绩应该还不错。(淡季)

　3）生产任务已经全部完成,_____。(合格率)

　4）在产品生产方面,_____。(余地)

2. 选词填空 Complete the following sentences with the words given below.

销售　　促销　　经销　　销量

1）这个月的_____业绩非常好。

2）我们打算在这个商场举行一个_____活动。

3）这种产品的_____一直很大。

4）这家公司是我们的_____商。

Accomplishing Tasks

● 必备用语 Key Expressions

wǒ zhè jiù lái
我 这 就 来。
I will be right there.

duì nǐ tí chū de yì xiē jiàn yì wǒ hěn
对 你 提 出 的 一 些 建 议 我 很
gǎn xìng qù
感 兴 趣。
I am very interested in some suggestions you have made.

xiǎng dāng miàn tīng ting nǐ de
想 当 面 听 听 你 的
kàn fǎ
看 法。
I would like to learn more details.

tí gāo shēng chǎn xiào lǜ
提 高 生 产 效 率
increase production efficiency

zuò diào yán
作 调 研
do some research

jiàng dī shēng chǎn chéng běn
降 低 生 产 成 本
reduce production cost

nín guò jiǎng le
您 过 奖 了。
Thanks, I am flattered.

wǒ duì nǐ de fāng àn yuán zé shang
我 对 你 的 方 案 原 则 上
chí kěn dìng tài dù
持 肯 定 态 度。
I agree with your plan in principle.

wǒ yí dìng rèn zhēn wán chéng rèn
我 一 定 认 真 完 成 任
wù
务。
I will try my best.

jiù zhè yàng
就 这 样。
That's all.

● 情景对话 Situational Dialogues

1. 得到表扬 Receiving Praises

xiè zǒng   mǎ tāo   dào wǒ bàn gōng shì lái yí tàng
谢 总：马 涛，到 我 办 公 室 来 一 趟。
Mr. Xie: Ma Tao, please come to my office.

mǎ tāo   hǎo de wǒ zhè jiù lái
马 涛： 好 的，我 这 就 来。

Ma Tao: OK, I will be right there.

(Ma Tao knocks on the door.)

xiè zǒng   qǐng jìn
谢 总 ： 请 进。

Mr. Xie: Come in, please.

mǎ tāo   xiè zǒng   nín zhǎo wǒ
马 涛： 谢 总 ，您 找 我？

Ma Tao: Sir, is there anything I can do?

xiè zǒng   duì   qǐng zuò
谢 总 ： 对，请 坐。

Mr. Xie: Yes, sit down, please.

(Ma Tao takes a seat.)

xiè zǒng   wǒ kàn guo nǐ xiě de nà fèn bào gào le   duì nǐ zài lǐ bian tí chū
谢 总 ： 我 看 过 你 写 的 那 份 报 告 了，对 你 在 里 边 提 出

　　　　 de yì xiē jiàn yì hěn gǎn xìng qù   xiǎng dāng miàn tīng ting nǐ
　　　　 的 一 些 建 议 很 感 兴 趣， 想 当 面 听 听 你

　　　　 de kàn fǎ
　　　　 的 看 法。

Mr. Xie: I have read the report you wrote. And I am very interested in

　　　　 some suggestions you have made. I would like to learn more

　　　　 details.

mǎ tāo   shàng cì kāi huì nín bù zhì wǒ duì gōng sī mù qián de shēng chǎn
马 涛： 上 次 开 会 您 布 置 我 对 公 司 目 前 的 生 产

liú chéng jìn xíng fēn xī　yǐ biàn tí gāo shēng chǎn xiào lù
流 程 进 行 分 析 , 以 便 提 高 生 产 效 率 。

Ma Tao: At last meeting you assigned me to conduct research and analysis

in the production process in order to increase production effici-

ency.

xiè zǒng　nǐ men zuò guo diào yán le ma
谢 总 : 你 们 作 过 调 研 了 吗 ?

Mr. Xie: Have you done any research?

mǎ tāo　shì de　jīng guò diào yán　wǒ rèn wéi zài xiàn yǒu rén yuán hé shè bèi
马 涛 : 是 的 。经 过 调 研 , 我 认 为 在 现 有 人 员 和 设 备

tiáo jiàn xià　rú guǒ wǒ men jiāng mù qián shēng chǎn liú chéng zuò
条 件 下 , 如 果 我 们 将 目 前 生 产 流 程 作

yì xiē gǎi dòng　jiù néng gòu dà fú jiàng dī shēng chǎn chéng běn
一 些 改 动 , 就 能 够 大 幅 降 低 生 产 成 本 。

xiàn yǒu de shēng chǎn liú chéng zào chéng le yì xiē bú bì yào
现 有 的 生 产 流 程 造 成 了 一 些 不 必 要

de yuán liào làng fèi　jù tǐ shù zì wǒ yǐ jīng xiě zài bào gào li le
的 原 料 浪 费 , 具 体 数 字 我 已 经 写 在 报 告 里 了 。

Ma Tao: Yes. I think with the same staff and equipment, we could cut

down the production cost by improving certain production flows.

The existing process causes some unnecessary waste of raw

material. I put the figures in detail on the report.

xiè zǒng　ng　zhè ge wǒ kàn guo le　zuò de bú cuò
谢 总 : 嗯 , 这 个 我 看 过 了 , 做 得 不 错 。

Mr. Xie: Yes, I have seen them. Well done!

mǎ tāo　nín guò jiǎng le
马 涛 : 您 过 奖 了 。

Ma Tao: Thanks.

词汇 Vocabulary

当面 dāng miàn
face to face

听听 tīng ting
listen to

布置 bù zhì
arrange

调研 diào yán
research and survey

大幅降低 dà fú jiàng dī
cut down extensively

不必要的 bú bì yào de
unnecessary

过奖 guò jiǎng
overpraise

2. 分配任务 Assigning Tasks

xiè zǒng： rú guǒ duì xiàn yǒu shēng chǎn liú chéng jìn xíng gǎi dòng nǐ rèn
谢 总 ： 如 果 对 现 有 生 产 流 程 进 行 改 动 , 你 认

wéi huì bu huì shè jí rén yuán diào dòng
为 会 不 会 涉 及 人 员 调 动 ?

Mr. Xie: Do you think staffing will be affected if we make changes to the
production process?

mǎ tāo： zǒng de lái kàn yǐng xiǎng bú dà dàn shì shǎo shù yuán gōng de
马 涛 ： 总 的 来 看 , 影 响 不 大 , 但 是 少 数 员 工 的

gǎng wèi xū yào tiáo zhěng
岗 位 需 要 调 整 。

Ma Tao: I believe it will not be affected too much. But some positions
need to be rearranged.

xiè zǒng： ng suī rán wǒ duì nǐ de fāng àn yuán zé shang chí kěn dìng tài du
谢 总 ： 嗯 , 虽 然 我 对 你 的 方 案 原 则 上 持 肯 定 态 度 ,

dàn shì gōng sī zhěng ge shēng chǎn liú chéng de gǎi dòng hái shi
但 是 公 司 整 个 生 产 流 程 的 改 动 还 是

yào jǐn shèn
要 谨 慎 。

Mr. Xie: I agree with your plan in principle, but we need to be very
careful with making changes to the whole production process.

mǎ tāo   duì   fǒu zé huì yǐng xiǎng zhěng tǐ de yùn xíng
马 涛 ： 对 , 否 则 会 影   响   整 体 的 运 行 。

Ma Tao: You are right. Otherwise the overall operation of the company
will be affected.

xiè zǒng   zhè yàng ba   wǒ shòu quán nǐ chéng lì yí ge gōng zuò xiǎo zǔ
谢 总 ： 这 样 吧 , 我 授   权 你 成 立 一 个 工 作 小 组 ,

àn zhào nǐ tí chū de fāng àn   dào yáng chǎng zhǎng nà li de
按 照 你 提 出 的 方 案 , 到 杨   厂   长 那 里 的

yí ge chē jiān jìn xíng yí ge yuè de shì diǎn
一 个 车 间 进 行 一 个 月 的 试 点 。

Mr. Xie: Let's do this. I will give you authorization to assemble a team
and run a pilot for a month based on your proposed plan at one
of Director Yang's workshops.

mǎ tāo   wǒ jué de yí ge yuè shí jiān yǒu xiē duǎn   liǎng ge yuè kě néng
马 涛 ： 我 觉 得 一 个 月 时 间 有 些 短 , 两 个 月 可 能

shì diǎn xiào guǒ gèng hǎo
试 点 效 果 更 好 。

Ma Tao: I think one month is too short to obtain any valuable results. Two
mouths will be better.

xiè zǒng   hǎo   jiù gěi nǐ liǎng ge yuè shí jiān   rú guǒ xiào guǒ hǎo   jiù tuī
谢 总 ： 好 , 就 给 你 两 个 月 时 间 。如 果 效 果 好 , 就 推

guǎng dào quán gōng sī   rú guǒ xiào guǒ bù hǎo   zài chóng xīn yán
广   到 全 公 司 ; 如 果 效 果 不 好 , 再 重 新 研

jiū zhè ge fāng àn de kě xíng xìng   nǐ kàn zěn me yàng
究 这 个 方 案 的 可 行 性 。你 看 怎 么 样 ?

Mr. Xie: OK. I give you two months. If the results are remarkable, we will roll out the plan to the entire company. If the results are not favorable, we will reassess the feasibility of the plan. What do you think?

mǎ tāo　　xiè xie jīng lǐ de xìn rèn　wǒ yí dìng jìn zuì dà nǔ lì wán chéng
马 涛 ： 谢谢 经 理 的 信 任 ，我 一 定 尽 最 大 努 力 完 成

　　　　rèn wù
　　　　任 务 。

Ma Tao: Thanks you for your trust. I will try my best.

xiè zǒng　　hǎo de　wǒ huì hé yáng chǎng zhǎng dǎ zhāo hu　ràng tā quán
谢 总 ： 好 的 ，我 会 和 杨 厂 长 打 招 呼 ，让 他 全

　　　　lì pèi hé nǐ　jiù zhè yàng　nǐ qù gōng zuò ba
　　　　力 配 合 你 。就 这 样 ，你 去 工 作 吧 。

Mr. Xie: OK. I will notify Director Yang and ask him to work with you. That's all. You can go back to work now.

词汇 Vocabulary

涉及 shè jí
involved, related

原则上 yuán zé shang
in principle

肯定态度 kěn dìng tài du
affirmative attitude

谨慎 jǐn shèn
be cautious about; careful

授权 shòu quán
authorization; delegate, empower

车间 chē jiān
workshop

试点 shì diǎn
experimental unit, pilot

推广 tuī guǎng
extend, spread

可行性 kě xíng xìng
feasibility

打招呼 dǎ zhāo hu
greet, notify

全力配合 quán lì pèi hé
fully cooperate with someone

相关用语 Relevant Expressions

深入基层
shēn rù jī céng /
go deep into the grassroots

调研报告
diào yán bào gào /
research report

问卷调查
wèn juàn diào chá /
questionnaire-based research

产能
chǎn néng /
production capability

节能降耗
jié néng jiàng hào / save energy
and reduce consumption

奖励
jiǎng lì / reward

通报表扬
tōng bào biǎo yáng /
circulate a notice of praise

下岗
xià gǎng / out of work,
the state of being unemployed;
being laid off

开发区
kāi fā qū /
development zone

语言文化小贴士 Language Tips

guò jiǎng le
1. 过 奖 了

　　中国文化中谦虚是一种美德,因此在受到别人夸奖的时候,表示适度的谦虚会博得别人好感。不同于西方文化,中国人通常在受到别人夸奖的时候,会以自我贬低来表示谦虚。对话里,总经理夸奖马涛做出的成绩,马涛说"过奖了",意思是"您的夸奖超过了我所做出的成绩",就是一种表示谦虚的说法。类似的说法还有"不敢当、哪里哪里"等。

Being modest is an important quality of Chinese people. Showing modesty will win the favor of others. Different from western culture, Chinese people will belittle themselves when they are praised by others. People usually say "guò jiǎn le" when being praised, or similar phrases such as "bù gǎn dāng", or "nǎ li nǎ li".

dǎ zhāo hu
2. 打 招 呼

"打招呼"有两种含义,第一种指见面时和对方说"你好"或"喂",相互致意,表示问候称为"打招呼"。在工作环境里,我们应当养成遇到同事或者上司的时候,主动微笑并打招呼的好习惯。第二种含义是指就某件事情或某个问题通知、提醒、或者关照。比如文中,为了能让各部门配合工作,领导需要和其他部门"打招呼",是指就某一件事情特别通知或者提醒相关的人。

There are two meanings for this phrase. One is to say hello, greet, or bid welcome. In the office, we should say hello or smile when we run into colleagues or a boss. The second meaning of the phrase is to let somebody know something. In the office, the managers usually remind the departments to cooperate with each together.

● 练习 Exercises

1. 选词填空 Fill in the blanks with the words given below.

<blockquote>

布置　　过奖　　当面　　大幅　　配合
</blockquote>

1）想_____听听你的看法。

2）谢总_____的工作你完成了吗?

3）经过调研,我认为能够_____降低生产成本。

4）您_____了。

5）他会全力_____你的工作。

2. 完成句子 Complete the following sentences.

1）现有的生产流程_____。（不必要）

2）_____,我们认为这个产品将会成为热门产品。（调研）

3）公司整个生产流程的改动要谨慎,_____。（否则）

4）我觉得一个月时间有些短,_____。（试点）

5）如果效果好,_____。（推广）

集思广益
Brainstorming

● 必备用语 Key Expressions

dà jiā zhèn zuò yí xià
大家 振 作 一下。
Cheer up.

bú yào yǒu nà me duō bào yuàn
不 要 有 那 么 多 抱 怨。
Do not complain too much.

wǒ yǒu yí ge xiǎng fǎ bù zhī dào
我 有 一 个 想 法，不 知 道
chéng bu chéng
 成 不 成。
I have an idea. Not sure if it will
work.

shuō shuo kàn
 说 说 看。
Tell us.

bié dǎ chà
别 打 岔。
Let me finish.

wǒ men bù rú shè jì yí ge xì liè
我 们 不 如 设 计 一 个 系 列

huó dòng
活 动。
Why don't we design series of ac-
tivities?

zhè ge xiǎng fǎ bú cuò
这 个 想 法不错。
That's a good idea.

zhè zhǐ shì yí ge dà zhì de xiǎng fǎ
这 只 是 一 个 大 致 的 想 法。
This is just a rough idea.

yǒu diǎn yì si
有 点 意 思。
It sounds interesting.

gǎn jǐn zuò hǎo fāng àn
赶 紧 做 好 方 案
work out the proposal as soon as
possible

● 情景对话 Situational Dialogues

1. 继续努力 Continuing Efforts

(Deng Hua, the manager of Planning Department, is discussing
with his subordinates.)

dèng huá   wǒ men bù mén shàng cì shè jì de xuān chuán cǎo àn   xiè zǒng
邓 华：我 们 部 门   上 次 设 计 的 宣   传   草 案,谢 总
kàn guo le   rèn wéi nà ge tài lǎo tào   méi xīn yì   dà jiā zài jí
看 过 了,认 为 那 个 太 老 套, 没 新 意。大 家 再 集
sī guǎng yì yí xià   kàn néng bu néng xiǎng chū xīn diǎn zi lái
思 广 益 一 下, 看 能 不 能   想   出 新 点 子 来。

Deng Hua: The General Manager has reviewed our promotion proposal
and thought it was too old-fashioned and lacked creativity.
Let's brainstorm more and see if we can come up with
new ideas.

yuán gōng   zhēn shì   shàng si dòng dong zuǐ   xià shǔ pǎo duàn tuǐ
员 工 1：真 是"上 司 动 动 嘴,下 属 跑 断 腿。"
shàng cì de fāng àn wǒ liǎng tiān méi hé yǎn   rén dōu shòu
上 次 的 方 案 我 两 天 没 合 眼, 人 都 瘦
le yì quān   yǐ wéi zuò wán néng xiē xie le   shéi zhī dào hái
了 一 圈, 以 为 做 完 能 歇 歇 了, 谁 知 道 还
yào chóng xīn zuò
要 重 新 做。

Employee 1: Geez, "A word from the boss could make us run to death". I
lost two nights of sleep and a few inches around the waist
because of the last proposal. I thought I could take a break
after that. Who knew I had to do it again.

yuán gōng   jiù shì   wǒ jué de shàng cì nà ge zuò de bú cuò a
员 工 2：就 是,我 觉 得 上 次 那 个 做 得 不 错 啊。

Employee 2: Yeah, I thought last proposal was pretty good.

dèng huá   dà jiā zhèn zuò yí xià   shòu rén zhī tuō   zhōng rén zhī shì   zán
邓 华：大 家 振 作 一 下,"受 人 之 托, 忠 人 之 事"。咱
men jì rán shòu gù yú gōng sī   jiù yào jìn quán lì bǎ gōng zuò zuò
们 既 然 受 雇 于 公 司,就 要 尽 全 力 把 工 作 做
hǎo   bú yào yǒu nà me duō bào yuàn
好,不 要 有 那 么 多 抱 怨。

Deng Hua: Cheer up, guys! "We are entrusted by others, so we must live up to the expectations." Since we are employed by the company,

let's do our best. Do not complain too much.

(After a long discussion, there is still no satisfying ideas.)

yuán gōng　　a　wǒ yǒu yí ge xiǎng fǎ　bù zhī dào chéng bu chéng
员　工 1：啊，我 有 一 个 想 法，不 知 道　成 不 成 。

Employee 1: Ah, I have an idea. Not sure if it will work.

dèng huá　　shuō shuo kàn
邓 华：说 说 看。

Deng Hua: Tell us.

词汇 Vocabulary

老套 lǎo tào
a conventional, formulaic and
oversimplified conception; old
fashioned

集思广益 jí sī guǎng yì
draw on the wisdom of the
masses; brainstorm

点子 diǎn zi
idea

上司动动嘴，下属跑断腿
shàng si dòng dòng zuǐ, xià shǔ
pǎo duàn tuǐ
The subordinate runs to death
with a word said by the boss.

合眼 hé yǎn
close one's eyes; sleep

歇歇 xiē xie
have a rest, take a break

振作 zhèn zuò
cheer up; pull oneself together

受人之托，忠人之事 shòu rén
zhī tuō, zhōng rén zhī shì
entrusted by the other; do things
for the others

受雇 shòu gù
be hired

抱怨 bào yuàn
complain

2. 想出新点子 Thinking up New Ideas

yuán gōng　　wǒ bǐ jiào ài wán wǎng luò yóu xì
员　工1：我比较爱玩　网络游戏。

Employee 1: I like to play online games.

yuán gōng　　dāng xīn bú yào shàng yǐn a
员　工2：当心不要上瘾啊。

Employee 2: Be careful not to get addicted.

yuán gōng　　bié dǎ chà　zuì jìn yǒu yì jiā gōng sī xīn tuī chū de yì kuǎn
员　工1：别打岔。最近有一家公司新推出的一款
　　　　　wǎng luò yóu xì fēi cháng bàng　xiàn zài fēng mí quán qiú
　　　　　网络游戏非常棒，现在风靡全球。

Employee 1: Let me finish. Recently, there is a company that's rolling out
　　　　　a new type of game. It's quite popular around the world.

dèng huá　　gēn wǒ men de xuān chuán yǒu guān xì ma
邓　华：跟我们的宣传有关系吗？

Deng Hua: How is that related to our proposal?

yuán gōng　　zhè ge yóu xì jù shuō mù qián yǐ jīng yǒu jǐ bǎi wàn yòng hù
员　工1：这个游戏据说目前已经有几百万用户，
　　　　　dōu shì nián qīng rén
　　　　　都是年轻人。

Employee 1: It's said this game has reached several million users, who are
　　　　　mainly young people.

yuán gōng　　hé wǒ men de mù biāo kè hù tè zhēng hěn jiē jìn
员　工2：和我们的目标客户特征很接近。

Employee 2: That's pretty close to our target customers.

yuán gōng　　wǒ men bù rú shè jì yí ge xì liè huó dòng　zhǔ tí jiù shì zhè
员　工1：我们不如设计一个系列活动，主题就是这
　　　　　kuǎn yóu xì
　　　　　款游戏。

Employee 1: Why don't we design a series of activities using this game
　　　　　as the theme.

邓 华： 喜 欢 玩 游戏的人会很 容 易 产 生 关 注。

Deng Hua: It would easily attract people who like this game.

员 工 1： 我 们 的 活 动 可 以 设 计 成 与 游戏有 关 的，

比如 请 几 个 当 红 的 名 人 做 游戏里的主

角，以此 做 一 个 广 告 专 题。

Employee 1: We could design the activities to be game-related, such as special commercials with a few popular celebrities acting as main characters of the game.

员 工 2： 这 个 想 法不错，还可 以 在 产 品 里 抽 奖，

奖 励 游戏时间。

Employee 2: That's a good idea. We can also sponsor lucky draws throughout the activities.

员 工 1： 这 只 是 一 个大致的 想 法，还 有 很 多 细 节需

要 设 计。

Employee 1: This is just a rough idea. More details need to be worked out.

邓 华： 有 点 意思。好，就 照 这 个 思 路 来。你 们 两

个 赶 紧 做 出 一 个 方 案。

Deng Hua: It sounds interesting. OK, let's go with this idea. You guys work out a proposal as soon as possible.

词汇 Vocabulary

网络游戏　wǎng luò yóu xì
online game

上瘾　shàng yǐn
be addicted

风靡全球　fēng mí quán qiú
popular around the world

目标客户　mù biāo kè hù
target clients, target customers

背景　bèi jǐng
background

关注　guān zhù
pay attention to

专题　zhuān tí
special topic

当红　dāng hóng
popular

抽奖　chōu jiǎng
lucky draw

思路　sī lù
thought; the way of thinking

赶紧　gǎn jǐn
rush; hurry up

相关用语 Relevant Expressions

媒体投放
méi tǐ tóu fàng / media buying

打广告
dǎ guǎng gào / advertise

新闻稿
xīn wén gǎo / press release

加班
jiā bān / work overtime

熬夜
áo yè / stay up all night, pull an
all-nighter

推倒重来
tuī dǎo chóng lái /
start over again

创意
chuàng yì / creativity

互联网
hù lián wǎng / the Internet

形象代言人
xíng xiàng dài yán rén /
image spokesperson

名人效应
míng rén xiào yìng /
celebrity effect

语言文化小贴士
Language Tips

duì ǒu

1. 对偶

对偶是汉语中常用的修辞方法。对偶就是把同类或对立的概念并列起来，组成"字数相等，结构、词性大体相同，意思相关"的两个词汇或者文句。例如文中"受人之托，忠人之事"，两个句子就形成对偶。这种对称的语言方式，形成表达形式上的整齐和谐和内容上的相互映衬，具有独特的艺术效果。对偶的一般规则，是名词对名词，动词对动词，形容词对形容词，副词对副词。它常常被广泛用于各种文体，其中在中国古代散文和古体诗歌运用得尤其频繁。

Parallelism is a typical rhetorical practice in the Chinese language. Parallelism is the combination of similar concepts or contrasting ideas, using pairs of words or phrases that are similar in number, structure, content or meaning. For example, in the passage "shòu rén zhī tuō, zhōng rén zhī shì", the two sentences form parallelism. This type of practice forms expressions that are organized, balanced, complementary, and has unique artistic impact. The rule of using parallelism usually is noun going with noun, verb with verb, adjective with adjective and adverb going with adverb. Antithesis is widely used in all types of literatures, especially in ancient Chinese essays and poems.

yóu xì

2. 游戏

"游戏"通常指的是嬉戏、游乐、玩耍，比如："几个孩子正在游戏。"

而随着技术进步,现在的"游戏"除了可以指传统的娱乐活动外,还特指"电子游戏、计算机游戏"或者"网络游戏",现在的年轻人如果说,"我喜欢玩游戏",通常都指的是这类娱乐活动。

"yóu xì" usually refers to playing or entertaining, such as "jǐ ge hái zi zhèng zài yóu xì.(Several children are playing.)" With the advancement of technology, besides the traditional meaning of playing, today the phrase also refers to electronic games, computer games or online games. Nowadays, when young people say "wǒ xǐ huan wán yóu xì(I love playing games)", they usually refer to these types of games.

● 练习 **Exercises**

1. 选词填空 Fill in the blanks with the words given below.

风靡　老套　客户　当红　用户

1)这个电视剧的情节太_____。

2）《哈利·波特》这部电影现在正_____全球。

3）现在中国的手机_____越来越多。

4）_____服务是销售的重要环节。

5）这个_____的歌手最合适做我们产品的代言人。

● 必备用语 Key Expressions

qǐng wèn nǐ men xiè zǒng zài ma
请 问 你们 谢 总 在 吗？

May I speak to Mr. Xie?

qǐng wèn nín shì nǎ wèi
请 问 您 是 哪 位？

Who is calling, please?

nín zhǎo tā yǒu shén me shì ma
您 找 他 有 什 么 事 吗？

May I ask the reason for calling?

wǒ xiǎng hé xiè zǒng yuē ge shí jiān
我 想 和 谢 总 约 个 时 间

jiàn jian miàn
见 见 面。

I would like to make an appoint-
ment with Mr. Xie.

qǐng nín shāo děng yí huìr
请 您 稍 等 一 会 儿。

One moment, please.

nǐ bǎ diàn huà zhuǎn jìn lai ba
你把 电话 转 进 来 吧。

Put him through.

máng de yí tā hú tú
忙 得一 塌糊涂。

I've been swamped.

chī dùn biàn fàn
吃 顿 便 饭

grab a simple meal

nǐ kàn zhōu sì zhōng wǔ yí kuài chī
你 看 周 四 中 午 一 块 吃

wǔ fàn zěn me yàng
午 饭 怎 么 样？

How about lunch on Thursday?

bú jiàn bú sàn
不 见 不 散。

See you there.

● 情景对话 Situational Dialogues

1. 我的日程安排 My Schedule

mì shū   wèi nín hǎo xīng dá gōng sī
秘 书：喂，您 好！兴 达 公 司。

Secretary: Hello, this is Xingda Company.

qián zǒng   wèi   nín hǎo   qǐng wèn nǐ men xiè zǒng zài ma
钱 总 ： 喂，您好！请 问 你 们 谢 总 在 吗？

Mr. Qian: Hi. May I speak to Mr. Xie?

mì shū   qǐng wèn nín shì nǎ wèi   nín zhǎo tā yǒu shén me shì ma
秘 书 ： 请 问 您 是 哪 位？您 找 他 有 什 么 事 吗？

Secretary: Who is calling please? May I ask the reason for calling?

qián zǒng   wǒ shì guó guāng gōng sī de jīng lǐ lǎo qián   wǒ xiǎng hé
钱 总 ： 我 是 国 光 公 司 的 经 理 老 钱，我 想 和

xiè zǒng yuē ge shí jiān jiàn jian miàn   tán tan wǒ men liǎng
谢 总 约 个 时 间 见 见 面，谈 谈 我 们 两

jiā gōng sī de hé zuò wèn tí
家 公 司 的 合 作 问 题。

Mr. Qian: This is Lao Qian, the Manager of Guoguang company. I would
like to make an appointment with Mr. Xie and discuss the
cooperation between us.

mì shū   ò   qián zǒng   nín hǎo   qǐng nín shāo děng yí huìr
秘 书 ： 哦，钱 总，您 好！请 您 稍 等 一 会 儿。

Secretary: Oh, hi, Mr. Qian. One moment, please.

qián zǒng   hǎo de
钱 总 ： 好 的。

Mr. Qian: OK.

mì shū   zhuǎn dào nèi xiàn diàn huà   xiè zǒng   guó guāng gōng sī de
秘 书 ： （ 转 到 内 线 电 话 ）谢 总，国 光 公 司 的

qián zǒng xiǎng yuē ge shí jiān hé nín jiàn miàn   tán tan hé zuò
钱 总 想 约 个 时 间 和 您 见 面，谈 谈 合 作

wèn tí
问 题。

Secretary: (Switch to the inside line) General manager, Mr. Qian from
Guoguang company is on the phone. He wants to make an
appointment with you to discuss cooperation between our

two companies.

xiè zǒng   nǐ kàn kan wǒ zhè zhōu de rì chéng ān pái   shén me shí hou yǒu
谢 总 ：你 看 看 我 这 周 的 日 程 安 排，什 么 时 候 有

shí jiān
时 间 ？

Mr. Xie: Please check my schedule for the week. When do I have time?

mì shū   nín zhè zhōu sì zhōng wǔ shíyī diǎn sānshí fēn dào xià wǔ liǎng
秘 书：您 这 周 四 中 午 11 点 30 分 到 下 午 两

diǎn   zhōu wǔ shàng wǔ shí diǎn dào shíyī diǎn yǒu shí jiān
点 ，周 五 上 午 10 点 到 11 点 有 时 间。

Secretary: 11:30 a.m. to 2:00 p.m. this Thursday, 10:00 a.m. to 11:00 a.m.

this Friday.

xiè zǒng   hǎo de nǐ bǎ diàn huà zhuǎn jìn lai ba   wǒ qīn zì gēn tā shuō
谢 总 ：好 的，你 把 电 话 转 进 来 吧，我 亲 自 跟 他 说 。

Mr. Xie: OK. Put him through, please, and I will speak to him myself.

mì shū   hǎo de
秘 书：好 的。

Secretary: OK.

词汇 Vocabulary

稍等一会儿 shāo děng yí huìr
wait for a little while

日程安排 rì chéng ān pái
schedule; arrangement

亲自 qīn zì
in person

内线电话 nèi xiàn diàn huà
inside line

2. 不见不散 Be There or Be Square

(The line connects.)

xiè zǒng   lǎo qián ma   hǎo jiǔ bú jiàn a
谢 总 : 老 钱 吗 ? 好 久 不 见 啊 !

Mr. Xie: Lao Qian, long time no see!

qián zǒng   zuì jìn gāng chū chāi qù le tàng guǎng zhōu kǎo chá   zuó tiān cái
钱 总 : 最 近 刚 出 差 去 了 趟 广 州 考 察 , 昨 天 才

　　　　huí lai   nǐ zuì jìn zěn me yàng a
　　　　回 来 。你 最 近 怎 么 样 啊 ?

Mr. Qian: I went on a business trip to Guangzhou recently, just came back
　　　　　yesterday. How have you been lately?

xiè zǒng   hái xíng hái shì nà yàng   máng de yì tā hú tú
谢 总 : 还 行 , 还 是 那 样 , 忙 得 一 塌 糊 涂 。

Mr. Xie: As always, I've been swamped.

qián zǒng   wǒ shuō zán men zhè lǐ bài yuē ge shí jiān jiàn jian miàn a
钱 总 : 我 说 咱 们 这 礼 拜 约 个 时 间 见 见 面 啊 ,

　　　　hǎo jiǔ bú jiàn le   zuì jìn wǒ men gōng sī páng biān xīn kāi le
　　　　好 久 不 见 了 。最 近 我 们 公 司 旁 边 新 开 了

　　　　yì jiā cān tīng bú cuò zán men yì qǐ chī dùn biàn fàn biān chī
　　　　一 家 餐 厅 不 错 , 咱 们 一 起 吃 顿 便 饭 , 边 吃

　　　　biān tán
　　　　边 谈 。

Mr. Qian: Let's schedule some time to meet this week. We haven't seen
　　　　　each other for a long time. A new restaurant just opened recently
　　　　　near our company. Let's grab a simple meal and chat for a
　　　　　while.

xiè zǒng   hǎo a   nǐ kàn zhōu sì zhōng wǔ zěn me yàng
谢 总 : 好 啊 。你 看 周 四 中 午 怎 么 样 ?

Mr. Xie: That's good. How about lunch on Thursday?

qián zǒng   xíng wǒ zhè li méi wèn tí   wǒ kě yǐ chōu chū shí jiān dào
钱 总 : 行 , 我 这 里 没 问 题 , 我 可 以 抽 出 时 间 。到

　　　　shí hou wǒ pài chē qù nǐ men gōng sī jiē nǐ wǒ zài fàn diàn
　　　　时 候 我 派 车 去 你 们 公 司 接 你 。我 在 饭 店

děng nǐ
等　你。

Mr. Qian: Sure. I am fine with that time. I will send a car to pick you up and wait for you at the restaurant.

xiè zǒng　hǎo jiù zhè yàng　bú jiàn bú sàn
谢　总：好，就　这　样，不 见 不 散。

Mr. Xie: OK. See you there!

qián zǒng　hǎo zài jiàn
钱　总：好，再 见！

Mr. Qian: Great, bye for now.

xiè zǒng　zài jiàn
谢　总：再 见！

Mr. Xie: Bye.

词汇 Vocabulary

考察　kǎo chá
review; seeing about

一塌糊涂　yí tā hú tú
in a complete mess; swamped

吃顿便饭　chī dùn biàn fàn
have a simple meal

不见不散　bú jiàn bú sàn
be there or be square;
see you there

边吃边谈　biān chī biān tán
talk and eat at the same time

抽出时间　chōu chū shí jiān
take some time out / off

派车　pài chē
send a car

相关用语 Relevant Expressions

繁忙
fán máng /
being busy

商务宴请
shāng wù yàn qǐng /
business banquet

取消约会
qǔ xiāo yuē huì / cancel an appointment

日程表
rì chéng biǎo / schedule

会面
huì miàn / meet in person

应酬
yìng chou / social activities, social gathering

订座位
dìng zuò wèi / book a seat, reserve a seat

包间
bāo jiān / single room, compartment; reserved room

语言文化小贴士
Language Tips

dǎ diàn huà
打 电 话

　　打电话已经成为人们日常生活的重要组成部分。电话用语一般总是以"喂"开头。有时会说"你好",而通常在公司环境下接听电话,首先要说出公司的名字,如"你好,这里是某某公司"。中国人习惯用"您贵姓?"、"请问是哪位?"、"我是某某"、"请问你是某某吗?"这样的语句询问对方情况。一般来说,如果是打电话找别人,可以用:"喂,请问某某在吗?"如果是接听别人的电话,可以问:"请问你是谁?"或者,"请问你找谁?"如果是帮助对方寻找通话对象,要说"请稍等",最后一般要说"谢谢!"、"再见!"之类的客套话。

　　Telephone has become an important part of people's daily lives. Usually a phone call starts with "wèi" or "nǐ hǎo". When picking up a call in the office, one should say the company's name first, for example, "Hello,

喂，你好！

this is so-and-so company." Chinese people usually use phrases such as "nín guì xìng? (What's your name?)" "qǐng wèn shì nǎ wèi? (Who is this?)" "wǒ shì... (This is so-and-so)" or "qǐng wèn nǐ shì... mɑ? (Is this so-and-so?)" When calling someone, one may use the phrase "wèi, qǐng wèn... zài mɑ? (Hello, is so-and-so there?)" When receiving a call, one may ask "qǐng wèn nǐ shì shuí? (May I ask who this is?)" or "qǐng wèn nǐ zhǎo shuí? (May I ask who you are looking for?)" If looking for someone else to speak to the caller, one usually says "qǐng shāo děng (Please hold on)." At the end of the call, one should use polite phrases such as "xiè xie! (Thank you)" and "zài jiàn! (Bye.)"

bú jiàn bú sàn
不 见 不 散

"不……不……"可以有很多种用法。当用在意思相同或相近的词或词素的前面,表示否定的语气,比如"不干不净、不明不白";当用在同类而意思相对的形容词的前面,表示"既不……也不……,"程度适中,恰到好处,比如"不多不少";当用在同类而意思相对的动词的前面,表示"如果不……就不……",比如"不见不散",也就是说两个人如果不见面,就不会离开约定的地点,通常表达与对方见面的决心和诚意。

The phrase "bù ... bù ..." could be used in many ways. If it is used before words with similar or same meaning, it has a negative connotation, such as "bù gān bú jìng, bù míng bù bái". If it is used before adjective words with opposite meanings, it indicates "neither ... nor ... ", such as "bù duō bù shǎo". If it is used before verbs with opposite meanings, it means "no ... without ...", such as "bú jiàn bú sàn". The phrase means "not departing without seeing", in other words, "be there or be square".

● 练习 Exercises

1. 完成下面的对话 Complete the following dialogues.

1）A：喂,你好,请问你找谁?
　　B：＿＿＿＿＿＿＿＿＿＿＿

2）A：＿＿＿＿＿＿＿＿＿＿＿
　　B：我想咨询一下你们公司的产品价格。

3）A：喂,请问你是张经理吗?
　　B：＿＿＿＿＿＿＿＿＿＿＿

Unit 8　Calling to Make an Appointment

2. 选词填空 Fill in the blanks with the words given below.

　　　　抽出　　亲自　　派车　　一塌糊涂　　考察

1）他最近忙得_____。

2）经理说要_____去接她。

3）他可以_____时间见你。

4）经理去北方_____还没有回来。

5）他想_____找你谈谈。

Work Lunch 工作餐

UNIT 9

● 必备用语 Key Expressions

xiā máng
瞎 忙

always busy; busy for no apparent reason

nǐ kàn zhe diǎn ba wǒ suí biàn
你 看 着 点 吧，我 随 便 。

You can order. I'm not picky.

nǐ yǒu shén me jì kǒu méi yǒu
你 有 什 么 忌 口 没 有 ？

Do you avoid any type of food?

wǒ shì yǒu shì xiāng qiú
我 是 有 事 相 求 。

I need your help.

zhè dào shì
这 倒 是 。

That's true.

jiāng lái yǒu xū yào bāng máng de
将 来 有 需 要 帮 忙 的，

jǐn guǎn kāi kǒu
尽 管 开 口 。

If there is anything I could help with in the future, just let me know.

wǒ jìng nǐ yì bēi
我 敬 你 一 杯 。

A toast to you.

nǐ gēn wǒ kè qi shén me
你 跟 我 客 气 什 么 。

You are welcome!

● 情景对话 Situational Dialogues

1. 好久不见 Long Time No See

qián zǒng   hǎo jiǔ bú jiàn zuì jìn máng bu máng
钱 总 ：好 久 不 见，最 近 忙 不 忙 ？

Mr. Qian: Long time no see. you've been busy lately?

xiè zǒng   hāi hái shì xiā máng
谢 总 ：咳 , 还 是 瞎 忙 。

Mr. Xie: Hey, as always.

(The waiter hands over the menu. Mr. Qian passes it to Mr. Xie,

asking him to order.)

qián zǒng   lái kàn kan yǒu shén me hé kǒu wèi de
钱 总 ：来 , 看 看 有 什 么 合 口 味 的 。

Mr. Qian: Here, see if anything suits your taste.

xiè zǒng   bú yòng le   nǐ kàn zhe diǎn ba   wǒ suí biàn
谢 总 ：不 用 了 , 你 看 着 点 吧 , 我 随 便 。

Mr. Xie: That's OK, you can order. I'm not picky.

qián zǒng   nà wǒ gōng jìng bù rú cóng mìng   nǐ yǒu shén me jì kǒu méi yǒu
钱 总 ：那 我 恭 敬 不 如 从 命 。你 有 什 么 忌 口 没 有 ?

Mr. Qian: Obedience is better than politeness then. Do you avoid any type

of food?

xiè zǒng   méi yǒu   wǒ chī shén me dōu kě yǐ
谢 总 ：没 有 , 我 吃 什 么 都 可 以 。

Mr. Xie: No, I can eat everything.

(Mr. Qian gets the waiter and orders several dishes.)

qián zǒng   zán men yán guī zhèng zhuàn ba   jīn tiān qǐng nǐ lái   wǒ shì
钱 总 ：咱 们 言 归 正 传 吧 。今 天 请 你 来 , 我 是

yǒu shì xiāng qiú
有 事 相 求 。

Mr. Qian: Let's get down to business then. I asked you to come because

I need your help.

Office Talk

词汇 Vocabulary

菜单 cài dān
menu

点菜 diǎn cài
order dishes

合口味 hé kǒu wèi
suit one's taste; be to one's
liking or taste

恭敬不如从命 gōng jìng bù rú
cóng mìng
obedience is better than
politeness.

忌口 jì kǒu
avoid certain food

言归正传 yán guī zhèng zhuàn
get down to business

随便 suí biàn
at one's convenience

2. 干杯 Cheers

xiè zǒng   wǒ jiù zhī dào nǐ   wú shì bù dēng sān bǎo diàn   yǒu shén me shì
谢 总 ：我 就 知 道 你"无 事 不 登 三 宝 殿",有 什 么 事?

Mr. Xie: I knew you must have something in mind. What can I do for you?

qián zǒng   zán men liǎng jiā gōng sī yǐ jīng hé zuò hǎo jǐ nián le   wǒ men
钱 总 ：咱 们 两 家 公 司 已 经 合 作 好 几 年 了,我 们

yì zhí cóng nǐ men nà li jìn huò   zài huò kuǎn shang wǒ men yì
一 直 从 你 们 那 里 进 货,在 货 款 上 我 们 一

zhí méi yǒu tuō qiàn guo   duì bu duì
直 没 有 拖 欠 过,对 不 对?

Mr. Qian: Our companies have been working together for several years.
We have always been getting supplies from your company
and we have never defaulted on any payment, right?

xiè zǒng   zhè dào shì   nǐ men gōng sī zài wǒ de kè hù li xìn yù shì zuì
谢 总 ：这 倒 是, 你 们 公 司 在 我 的 客 户 里 信 誉 是 最

hǎo de
好 的。

Mr. Xie: That's true. Among our customers your company is the one
with the best reputation.

qián zǒng   zuì jìn wǒ men gōng sī zhèng zài jìn xíng yí ge bǐ jiào dà de
钱 总 ：最 近 我 们 公 司 正 在 进 行 一 个 比 较 大 的

xiàng mù   zī jīn zhōu zhuǎn yǒu xiē jǐn zhāng   nǐ kàn néng
项 目，资 金 周 转 有 些 紧 张 ，你 看 能

bu néng bǎ zhè ge yuè de huò kuǎn zhàng qī yán cháng yí
不 能 把 这 个 月 的 货 款 账 期 延 长 一

duàn shí jiān
段 时 间？

Mr. Qian: Lately, we are undertaking a big project in the company and we
are a little tight on capital flow. Do you think we can delay the
payment for this month?

xiè zǒng   yán cháng duō cháng shí jiān ne
谢 总 ：延 长 多 长 时 间 呢？

Mr. Xie: How long the delay would be?

qián zǒng   liǎng zhōu jiù xíng   liǎng zhōu yǐ hòu wǒ men yǒu bǐ zī jīn
钱 总 ：两 周 就 行 ，两 周 以 后 我 们 有 笔 资 金

dào zhàng   zī jīn jiù chōng yù le
到 账 ，资 金 就 充 裕 了。

Mr. Qian: Two weeks should be enough. We have some funds going into
our account in two weeks. We should have sufficient capital by
then.

xiè zǒng   zán men rèn shi zhè me cháng shí jiān le   nǐ de wéi rén wǒ hái
谢 总 ：咱 们 认 识 这 么 长 时 间 了，你 的 为 人 我 还

shì xìn de guò de   zhè bú shì shén me dà shì   méi wèn tí
是 信 得 过 的。这 不 是 什 么 大 事，没 问 题。

Mr. Xie: We have known each other for a very long time. I trust you.

That's not a big deal, you can have a delay.

qián zǒng   tài xiè xie le   jiāng lái yǒu xū yào bāng máng de   jǐn guǎn
钱　总 ：太 谢谢 了。将 来 有 需要 帮　忙 的，尽 管

　　　　　kāi kǒu
　　　　　开 口。

Mr. Qian: Thank you very much. If there is anything I could help with in

the future, just let me know.

xiè zǒng   míng tiān wǒ jiù hé fù zé de yè wù yuán shuō yí xià   nǐ jiù fàng
谢　总 ：明 天 我 就 和 负责 的 业务　员 说 一 下，你 就 放

　　　　　xīn ba
　　　　　心 吧。

Mr. Xie: I will inform the sales manager in charge tomorrow. Don't worry.

qián zǒng   lái   wǒ jìng nǐ yì bēi
钱　总 ：来，我 敬 你 一 杯。

Mr. Qian: Here, a toast to you.

xiè zǒng   nǐ gēn wǒ kè qi shén me   lái   gān bēi
谢　总 ：你 跟 我 客气 什 么，来，干 杯！

Mr. Xie: You are welcome! Cheers!

词汇 Vocabulary

无事不登三宝殿 wú shì bù
dēng sān bǎo diàn
only goes to the temple when
one is in trouble, which implies
that one will not go to someone
else's place or trouble someone
except for something important

拖欠货款 tuō qiàn huò kuǎn
default on the payment for
goods

信誉 xìn yù
reputation

账期 zhàng qī
time for accounts;
account deadline

延长 yán cháng
extend, delay

资金到账 zī jīn dào zhàng
funds going into account

充裕 chōng yù
abundant, sufficient

为人 wéi rén
the kind of person;
personal characters

信得过 xìn de guò
trustworthy

敬你一杯 jìng nǐ yì bēi
toast to you

干杯 gān bēi
cheers

相关用语 Relevant Expressions

客随主便
kè suí zhǔ biàn / A guest should
suit the convenience of the host

川菜
chuān cài / Sichuan cuisine

凉菜
liáng cài / cold dish

健康食品
jiàn kāng shí pǐn / healthy food

营养
yíng yǎng / nutrition

醉酒
zuì jiǔ / drunk

现金流
xiàn jīn liú / cash flow

付现款
fù xiàn kuǎn /
pay cash

预付款
yù fù kuǎn / advance payment

应收账款
yìng shōu zhàng kuǎn /
receivables

呆账
dāi zhàng / bad debt,
frozen account

坏账
huài zhàng / bad debt

诚信
chéng xìn / honest and sincere

wú shì bù dēng sān bǎo diàn
1. 无 事 不 登 三 宝 殿

"三宝殿"源于佛教用语,"三宝殿"是在寺庙中外人不能随便进去的三处地方,进出的都必须是佛门弟子。后来,在"三宝殿"的基础上逐渐演变成一句俗语,叫做"无事不登三宝殿",意思是说"没有重要的事情不登门",或者是"没有重要的事情不敢来麻烦"。平时,人们有事情专门去某人办理,常常称"无事不登三宝殿"以显示自己的风雅,又表明请某人办理的事情相当重要。

This phrase "sān bǎo diàn" originated from Buddhism. "Sān bǎo diàn" refers to the hall of the temple where no one can enter without permission except Buddhist monks. Throughout time the phrase has become a slang. It means one will not go to someone else's place or trouble someone except for something important. Usually, when people go to visit someone for help, the phrase is used to show class and emphasize the importance of the issue.

jìng jiǔ
2. 敬 酒

中国人的好客在酒席上发挥得淋沥尽致。人与人的感情交流往往在敬酒时得到升华。中国人敬酒时,往往都想让对方多喝点酒,以表示自己尽到了主人之谊,客人喝得越多,主人就越高兴。

如果给上级和长辈敬酒碰杯的时候,自己酒杯高度不能超过上级和长辈的酒杯,并说一些表示祝福的话,碰杯的时候不能太用力。

为了劝酒,酒席上有许多趣话,如"感情深,一口闷"。"罚酒"也是中国人"敬酒"的一种独特方式,最为常见的可能是对酒席的迟到者"罚酒三杯",有时也不免带点开玩笑的性质。但是劝人喝酒,不可强求,如果是看到亲友贪杯失态,要进行劝阻。

Chinese people like to show their warmth and hospitality during banquets. To show that they are good hosts, they toast to the guests in order to get them to drink more. The host will feel happy when the guests drink a lot.

If you toast to the elders or to the boss, the level of your cup or glass should not be higher than theirs. Also you should express good wishes or blessings. Don't be too forceful when tapping cups or glasses.

There are many interesting drinking phrases such as "gǎn qíng shēn, yì kǒu mēn". "Punishing Drink" is also a unique way to have a toast. The most typical one is when a person is late, he/she must have three drinks as "punishment", sometimes in a joking way. However, a toast should not be forced. When family or friends are already getting drunk, the toasting should be stopped.

Office Talk

● 练习 Exercises

1. 选词填空 Fill in the blanks with the words given below.

1）你们公司在我们的合作伙伴中_____最好。（信誉、荣誉）

2）现在公司遇到了困难，主要是资金_____出了问题。（周转、回转）

3）我希望你们能_____这个产品的优惠时间。（延长、延伸）

4）公司不应当_____员工的工资。（拖欠、拖迟）

2. 完成句子 Complete the following sentences.

1）_____，这是我应该做的。（客气）

2）这家饭馆是南方菜，_____。（口味）

3）_____，不然我不会跟你说这些。（信得过）

4）如果你遇到困难，_____。（开口）

5）我没有忌口的，_____。（随便）

工作失误 Mistakes at Work

● 必备用语 Key Expressions

nǐ men tài bú xiàng huà le
你 们 太 不 像 话 了!

This is terrible.

yǒu zhè yàng de shì
有 这 样 的 事?

Is that so?

zào chéng hěn dà de sǔn shī
造 成 很 大 的 损 失

cause heavy loss

què shí bú duì
确 实 不 对。

It is indeed wrong.

nǐ xiān xī nù
你 先 息 怒。

Please calm down.

nǐ men yí dìng yào gěi wǒ yí ge shuō
你 们 一 定 要 给 我 一 个 说
fǎ
法!

You'd better explain!

wǒ mǎ shàng gěi nǐ yí ge mǎn yì de
我 马 上 给 你 一 个 满 意 的

dá fù
答 复。

I will give you a satisfying answer very soon.

zhè què shí shì wǒ men gōng zuò de
这 确 实 是 我 们 工 作 的
shū hu
疏 忽。

This is indeed a mistake on our part.

wǒ zài cì xiàng nín biǎo shì qiàn yì
我 再 次 向 您 表 示 歉 意。

Again I would like to express my regret.

yǒu wèn tí qǐng nín suí shí yǔ wǒ
有 问 题 请 您 随 时 与 我
men gōu tōng
们 沟 通。

Please let us know any time if you have any problems or questions.

● 情景对话 Situational Dialogues

1. 请先息怒 Quieting Down One's Temper

(A client rushes into the manager's office angrily.)

kè hù　nǐ jiù shì zhè gōng sī de jīng lǐ
客户：你就是这公司的经理？

Client: Are you the manager of this company?

wáng wén　shì de　qǐng wèn nín yǒu shén me shì
王文：是的，请问您有什么事？

Wang Wen: Yes, I am. What can I do for you?

kè hù　nǐ men tài bú xiàng huà le　zuó tiān nǐ men gěi wǒ fā de nà pī huò
客户：你们太不像话了！昨天你们给我发的那批货，

shì shén me wán yìr　a　xíng hào quán cuò le
是什么玩意儿啊？型号全错了！

Client: This is terrible. What are those products you sent me yesterday?
The types are all wrong.

wáng wén　a　yǒu zhè yàng de shì
王文：啊？有这样的事？

Wang Wen: What! Is that so?

kè hù　zhè shì hé tong　nǐ kàn shàng bian qīng qīng chǔ chǔ xiě zhe shì
客户：这是合同，你看上边清清楚楚写着是

zhè ge xíng hào　zhǐ zhe hé tong　nǐ men fā gěi wǒ de shì shén
这个型号（指着合同），你们发给我的是什

me　nǐ zì jǐ kàn kan
么，你自己看看！

Client: Here is the contract. The type was written clearly (pointing at the
contract). What is this you sent me? Take a look at it yourself !

(The client takes out a sample.)

wáng wén　ò　què shí bú duì
王文：哦，确实不对。

Wang Wen: Oh, it is indeed wrong.

90

kè hù　　nǐ men gěi wǒ men zào chéng le hěn dà de sǔn shī　nǐ men zhī
客户：你 们 给 我 们 造 成 了 很 大 的 损 失，你 们 知

　　　dào ma
　　　道 吗？

Client: Do you know that you've caused heavy loss for us?

wáng wén　　xiān sheng　nín xiān xī nù　qǐng zuò xià lai xiān hē bēi chá
王 文：先 生，您 先 息 怒，请 坐 下 来 先 喝 杯 茶。

Wang Wen: Sir, please calm down. Take a seat and have a cup of tea.

kè hù　　nǐ men yí dìng yào gěi wǒ yí ge shuō fǎ
客户：你 们 一 定 要 给 我 一 个 说 法！

Client: You'd better explain!

wáng wén　　wǒ chū qu zhǎo jù tǐ fù zé de rén yuán liǎo jiě yí xià　mǎ
王 文：我 出 去 找 具 体 负 责 的 人 员 了 解 一 下，马

　　　　shàng gěi nín yí ge mǎn yì de dá fù
　　　　上 给 您 一 个 满 意 的 答 复。

Wang Wen: I am going to check with the person who's responsible. I will

　　　give you a satisfactory answer very soon.

词汇 Vocabulary

不像话 bú xiàng huà
unreasonable, disgraceful,
outrageous

什么玩意儿 shén me wán yìr
What in the world?

型号 xíng hào
type, model

损失 sǔn shī
loss

息怒 xī nù
ease one's anger

马上 mǎ shàng
at once, soon

满意的答复 mǎn yì de dá fù
satisfactory reply

2. 妥善解决 Solving Problems Properly

(Wang Wen leaves for some time, and comes back to the office.)

王 文：对不起，我刚才了解了一下，这确实是我们
工作的疏忽。

Wang Wen: I am very sorry. From what I found, this is indeed a mistake on our part.

客户：到底是怎么造成的呢？

Client: How did this happen?

王 文：负责您这项业务的人刚来公司不久，对
公司业务还不太熟悉，结果把您这批货的
型号搞错了。我们马上重新给您
发货。

Wang Wen: The person in charge of your company's supply is a newcomer. He is not yet very familiar with the business, and therefore he the wrong types to you. We are making arrangements to sent resend the products to you.

客户：我还要赶着给别人供货，你们这么一耽误，
我怎么和我的客户交待？

Client: We are in a time crunch to send the products to others. How can I explain your delay to my clients?

wáng wén zhè yàng ba zhè pī huò wǒ men kě yǐ gěi nín zài yōu huì yí
王 文：这 样 吧。这 批 货 我 们 可 以 给 您 再 优 惠 一

diǎnr   chú cǐ yǐ wài gěi nín zào chéng de sǔn shī yóu wǒ men
点 儿。除 此 以 外，给 您 造 成 的 损 失 由 我 们

gōng sī chéng dān nín kàn zěn me yàng
公 司 承 担，您 看 怎 么 样？

Wang Wen: How about this then, we will give you a higher discount on
this batch of products. On top of that, we will bear all your
losses caused by this. How about that?

kè hù   ng hǎo ba kàn nǐ zhè me yǒu chéng yì   zhè jiàn shì jiù dào cǐ
客 户：嗯，好 吧。看 你 这 么 有 诚 意，这 件 事 就 到 此

wéi zhǐ le
为 止 了。

Client: Um, OK. Since you are sincere, we will settle it like this.

wáng wén wǒ zài cì xiàng nín biǎo shì qiàn yì   jīn hòu wǒ men yào jiā qiáng
王 文：我 再 次 向 您 表 示 歉 意，今 后 我 们 要 加 强

duì yè wù yuán de péi xùn
对 业 务 员 的 培 训。

Wang Wen: Again I would like to express my regret. We will strengthen
the training for our staff in the future.

kè hù xīn shǒu zǒng yǒu yí ge shú xi de guò chéng kě yǐ lǐ jiě
客 户：新 手 总 有 一 个 熟 悉 的 过 程 ，可 以 理 解。

Client: New employees always have to go through a period of adaptation.
It's understandable.

wáng wén wǒ bǎo zhèng jiāng lái bú huì zài chū xiàn lèi sì de qíng kuàng
王 文：我 保 证 将 来 不 会 再 出 现 类 似 的 情 况 。

Wang Wen: I promise it would never happen again.

kè hù hǎo le nǐ men de fú wù zhēn shì dào wèi wǒ men jiāng lái hái
客 户：好 了，你 们 的 服 务 真 是 到 位，我 们 将 来 还

gēn nǐ men jì xù hé zuò
跟 你 们 继续 合作。

Client: OK. Your service is excellent. We will continue to do business
with you in the future.

wáng wén   yǒu wèn tí qǐng nín suí shí yǔ wǒ men gōu tōng
王 文：有 问 题 请 您 随时 与 我 们 沟 通 。

Wang Wen: Please let us know at any time if you have any problems or
questions.

词汇 Vocabulary

疏忽 shū hu
neglect; carelessness

耽误 dān wù
delay

交待 jiāo dài
explain

优惠 yōu huì
discount

承担损失 chéng dān sǔn shī
bear the loss

到此为止
dào cǐ wéi zhǐ / settle, stop

类似 lèi sì
resemble; similar

到位 dào wèi
reach the designated position;
excellent

加强培训 jiā qiáng péi xùn
strengthen the training

沟通 gōu tōng
communicate

诚意 chéng yì
sincere

相关用语 Relevant Expressions

投诉
tóu sù / complaint

抱怨
bào yuàn / complain

误会
wù huì / misunderstanding

追究责任
zhuī jiū zé rèn / find out the
accountable; find out who's
responsible

客户服务
kè hù fú wù / customer service

赏罚分明
shǎng fá fēn míng /
dispense reward and punishment
impartially

考核
kǎo hé / examine

热线
rè xiàn / hotline

消费者权益
xiāo fèi zhě quán yì / rights
and interests of customers

语言文化小贴士
Language Tips

rú hé chǔ lǐ tóu sù
如何处理投诉

正确妥善处理好客人的投诉,对一个企业来说是非常重要的。在正确处理客户投诉时,要"先处理心情,再处理事情"。通过认真倾听顾客抱怨,避免与其发生争辩,才能了解问题所在。其次,想方设法平息抱怨。客户消除了怒气,心理平衡后事情就比较容易解决,所以接待人员要先表示道歉。处理客户的投诉必须付诸行动,要迅速地做出解决方案。

It is very important for a company to deal with customers' or clients' complaints properly. When dealing with a customer's complaint, one should pay attention to customer's emotions. Listen carefully to what the customer has to say and avoid arguments, so you can find out what the real problem is. Also, try to find ways to calm down the customer. Things are much easier to settle when the customer is no longer angry or upset. Therefore, customer service staff should apologize first. Actions should be taken immediately to remediate the problem.

Office Talk

● 练习 Exercises

1. 完成句子 Complete the following sentences.

1) 您等一会,＿＿＿＿＿＿。（马上）

2) ＿＿＿＿＿＿,我们一定会给你一个满意的答复。（实在）

3) 先生,＿＿＿＿＿＿,请坐下来先喝杯茶。（息怒）

2. 选词填空 Fill in the blanks with the words given below.

耽误　　疏忽　　重新　　批　　诚意

1) 我刚才了解了一下,这确实是我们工作的＿＿＿＿＿。

2) 我们订的那＿＿＿＿＿货还没到啊,都晚了两个星期了。

3) 你们这么一＿＿＿＿＿,我怎么和我的客户交待?

4) 我们马上给您＿＿＿＿＿发货。

5) 看你这么有＿＿＿＿＿,这件事就到此为止了。

A Business Trip

UNIT 11

出差

● 必备用语 Key Expressions

nǐ kàn zěn me yàng
你看怎么样？
What do you think?

yuè kuài yuè hǎo
越快越好
the sooner the better

wǒ zhǔn bèi yí xià
我准备一下。
I will go to make some preparations.

zhè zhōu sān chū fā
这周三出发。
I will leave on Wednesday.

nǐ qù zhǎo lǐ yuán ān pái yí xià
你去找李园安排一下

xíng chéng
行程。
You can ask Li Yuan to create an itinerary for you.

nǐ kàn néng bu néng bāng wǒ dìng yí
你看能不能帮我订一

xià jī piào hé fàn diàn
下机票和饭店。
Could you book a flight and hotel room for me?

dōu xíng
都行。
Either is fine.

bú dàn pián yi　ér qiě hái hěn fāng
不但便宜，而且还很方

biàn
便。
It's cheap and convenient.

wǒ zhè jiù bāng nǐ dìng
我这就帮你订。
I will book the ticket for you right now.

hěn kuài jiù hǎo
很快就好。
You should have it shortly.

● 情景对话 Situational Dialogues

1. 准备启程 Getting Ready to Set out

xiè zǒng　　wáng wén　zuì jìn huá dōng dì qū de xiāo shòu zhuàng kuàng bú
谢总：王文，最近华东地区的销售状况不

jìn rú rén yì a
尽 如 人 意 啊。

Mr. Xie: Wang Wen, recently the sales in Eastern China area have been pretty disappointing.

wáng wén   shì a   xiè zǒng   wǒ gāng kàn dào zuì xīn de xiāo shòu shù jù
王 文：是 啊，谢 总，我 刚 看 到 最 新 的 销 售 数 据，

zhěng zhěng xià jiàng le shí ge bǎi fēn diǎn
整 整 下 降 了 十 个 百 分 点。

Wang Wen: Yes, sir. I just saw the latest sales figures. Overall there's a 10% decline.

xiè zǒng   wǒ xī wàng nǐ néng gòu zài zhè liǎng tiān qù yí tàng wǒ men zài
谢 总：我 希 望 你 能 够 在 这 两 天 去 一 趟 我 们 在

shàng hǎi de bàn shì chù   shí dì qù diào chá yí xià huá dōng qū xiāo
上 海 的 办 事 处，实 地 去 调 查 一 下 华 东 区 销

shòu xià jiàng de yuán yīn   nǐ kàn zěn me yàng
售 下 降 的 原 因，你 看 怎 么 样？

Mr. Xie: I hope you can make a trip to our office in Shanghai and investigate the reasons for the decline. What do you think?

wáng wén   méi wèn tí
王 文：没 问 题。

Wang Wen: No problem.

xiè zǒng   dòng zuò yuè kuài yuè hǎo   huá dōng dì qū duì gōng sī yǐng xiǎng
谢 总：动 作 越 快 越 好，华 东 地 区 对 公 司 影 响

hěn dà
很 大。

Mr. Xie: The sooner the better. Eastern China area is very important to us.

wáng wén   wǒ zhǔn bèi yí xià   zhè zhōu sān qǐ chéng   nín kàn xíng ma
王 文：我 准 备 一 下，这 周 三 起 程，您 看 行 吗？

Wang Wen: I will go to make some preparations and will leave on Wednesday. Is that OK?

xiè zǒng　　kě yǐ　nǐ gāng lái gōng sī bù jiǔ jiù ān pái nǐ chū chāi　jiā li rén
谢 总 ：可 以。你 刚 来 公 司 不 久 就 安 排 你 出 差 ，家 里 人

　　　　bú huì mán yuàn ba
　　　　不 会 埋 怨 吧？

Mr. Xie : Yes. You just joined the company and we are already sending

　　　　you on a trip. Will your family be okay with that?

wáng wén　　xiè zǒng　wǒ hái méi jié hūn ne　fù mǔ dōu zài wài dì　jiā li
王 文 ：谢 总 ，我 还 没 结 婚 呢，父 母 都 在 外 地，家 里

　　　　jiù wǒ yì rén
　　　　就 我 一 人。

Wang Wen: Sir, I am not married yet. My parents live in another city. I am

　　　　alone here.

xiè zǒng　　kàn bu chū nǐ hái shi ge　dān shēn guì zú　ne　zhè wǒ jiù fàng xīn
谢 总 ：看 不 出 你 还 是 个 " 单 身 贵 族 " 呢。这 我 就 放 心

　　　　le　huí tóu nǐ zhǎo lǐ yuán ān pái yí xià xíng chéng
　　　　了。回 头 你 找 李 园 安 排 一 下 行 程 。

Mr. Xie: I couldn't tell that you are not married. OK then. Later, you can

　　　　ask Li Yuan to create an itinerary for you.

wáng wén　　hǎo de
王 文 ：好 的。

Wang Wen: OK.

词汇 Vocabulary

出差 chū chāi
business trip

尽如人意 jìn rú rén yì
have one's wish fulfilled

起程 qǐ chéng
depart

百分点 bǎi fēn diǎn
percent

Office Talk

动作 dòng zuò
action, movement

家里人 jiā li rén
family; one's family members

埋怨 mán yuàn
complain

单身贵族 dān shēn guì zú
bachelorhood

2. 订票 Booking Tickets

(Wang Wen finds Li Yuan.)

wáng wén   xiǎo lǐ   xiàn zài máng bu máng
王 文 : 小 李, 现 在 忙 不 忙 ?

Wang Wen: Xiao Li, Are you busy right now ?

lǐ yuán   ò shì wáng jīng lǐ a nín yǒu shén me shìr   ma
李 园 : 哦, 是 王 经 理 啊, 您 有 什 么 事 儿 吗 ?

Li Yuan: Oh, Manager Wang, how can I help you?

wáng wén   shì zhè yàng de   xiè zǒng ān pái wǒ zhè zhōu sān dào shàng hǎi
王 文 : 是 这 样 的, 谢 总 安 排 我 这 周 三 到 上 海

chū chāi
出 差 。

Wang Wen: Yes, Mr. Xie has asked me to go to Shanghai for business
this Wednesday.

lǐ yuán   yǒu shén me xū yào wǒ zuò de ma
李 园 : 有 什 么 需 要 我 做 的 吗 ?

Li Yuan: Is there anything I can do for you?

wáng wén   nǐ kàn néng bu néng bāng wǒ dìng yí xià jī piào hé fàn diàn
王 文 : 你 看 能 不 能 帮 我 订 一 下 机 票 和 饭 店 。

Wang Wen: Could you book a flight and hotel room for me?

lǐ yuán　hǎo de　zhōu sān shàng wǔ zǒu hái shi xià wǔ zǒu
李 园：好 的，周 三 上 午 走 还 是 下 午 走？

Li Yuan: Sure. Are you leaving in the morning or afternoon?

wáng wén　dōu xíng　zuì hǎo shàng wǔ zǒu
王 文：都 行，最 好 上 午 走。

Wang Wen: Either is fine. Morning would be better.

lǐ yuán　wǒ hái shi tōng guò wǎng shang yù dìng ba　kě yǐ dǎ zhé
李 园：我 还 是 通 过 网 上 预 订 吧，可 以 打 折。

Li Yuan: I will book the ticket online. We can get a discount.

wáng wén　guài bu de xiè zǒng zǒng shì kuā jiǎng nǐ zuì huì jīng dǎ xì suàn
王 文：怪 不 得 谢 总 总 是 夸 奖 你 最 会 精 打 细 算。

Wang Wen: No wonder Mr. Xie always gives you praises.

lǐ yuán　bú dàn pián yi　ér qiě hái hěn fāng biàn ne
李 园：不 但 便 宜，而 且 还 很 方 便 呢。

Li Yuan: It's cheap and convenient.

wáng wén　xiàn zài de hù lián wǎng fā zhǎn de zhēn shì kuài
王 文：现 在 的 互 联 网 发 展 得 真 是 快。

Wang Wen: The Internet advances pretty fast these days..

lǐ yuán　wǒ zhè jiù bāng nǐ dìng　hěn kuài jiù hǎo
李 园：我 这 就 帮 你 订，很 快 就 好。

Li Yuan: I will book the ticket for you right now. Should have it shortly.

词汇 Vocabulary

订票　dìng piào
book a ticket

网上预订　wǎng shang yù dìng
reserve online

打折　dǎ zhé
discount

怪不得　guài bu de
so that's why; no wonder

精打细算　jīng dǎ xì suàn
pinch pennies

互联网　hù lián wǎng
the Internet

相关用语 Relevant Expressions

旅行
lǚ xíng / travel

总部
zǒng bù / headquarter

分公司
fēn gōng sī / branch

妻子
qī zi / wife

老婆
lǎo po / wife

拖后腿
tuō hòu tuǐ / hinder someone

单身汉
dān shēn hàn / bachelor

商务旅社
shāng wù lǚ shè / business hotel

会员卡
huì yuán kǎ / membership card

电子客票
diàn zǐ kè piào / electronic ticket

语言文化小贴士
Language Tips

duì nǚ xìng bàn lǚ de chēng hu
1. 对女性伴侣的称呼

中国男士对女性伴侣比较多的说法有：妻子、老婆、媳妇、夫人、爱人、情人。"妻子"是最通常的说法，就是正式的配偶，"老婆、媳妇"是用来称呼自己或其他人的妻子，比较口语化；"夫人"则是尊称自己及他人的妻子，多用于外交场合；改革开放前人们称自己的配偶为"爱人"，现在岁数比较大的人仍然这么称呼；"情人"指的是正在恋爱的人，现在多指婚外情的异性伴侣。

Typical words for female parther in Chinese include "qī zi, lǎo po, xí fù, fū ren, ài ren", and "qíng rén". "Qī zi" is the most common usage for wife. "Lǎo po"and "xí fù " is used when the husband is calling his own wife, usually in spoken Chinese. They could also be used to call other people's wives. "Fū ren"is equivalent to "madam", used formerly as a courtesy title before the last name of the woman's husband, "ài ren" means "loved one". Before the reform and opening up in China, people usually call their spouses as "ài ren". Now the elders still call their spouses "ài ren". "Qíng rén"refers to people in love, but now it mostly refers to the one the spouse is having an affair with.

● 练习 Exercises

1. 选词填空 Fill in the blanks with the words given below.

下降   实地   埋怨   预订   打折

1）通过_____考察，我们可以知道销售额_____的原因。

2）最近机票都在_____。

3）如果你想_____房间,可以打这个电话。

4）你经常出差,家人会不会_____你。

2. 完成句子 Complete the following sentences.

1）我刚看到最新的销售数据,_____（整整）

2）_____,华东地区对公司影响很大。（越快越好）

3）_____,而且还很方便呢。（便宜）

4）我周二出差去上海,请帮我_____（机票、饭店）

5）总经理常常_____你的工作做得好。（夸奖）

6）周三上午或下午走都可以,不过_____。（最好）

Arranging a Trip

行程安排

● 必备用语 Key Expressions

jī piào yǐ jīng gěi nín dìng hǎo le
机 票 已 经 给 您 订 好 了。

The ticket is booked.

nǐ xiǎng de zhēn zhōu dào
你 想 得 真 周 到。

You are very thoughtful.

dào jī chǎng jiē nín
到 机 场 接 您

pick you up at the airport

sòng nín dào jiǔ diàn
送 您 到 酒 店

take you to your hotel

kě néng yào dào fù jìn chéng shì
可 能 要 到 附近 城 市

zhuàn yí zhuàn
转 一 转

Maybe I will go to visit a few sites
around there.

nín máng ba
您 忙 吧。

You are busy, I'll not disturb you.

zhù nín yí lù shùn fēng
祝 您 一路 顺 风!

Have a nice trip!

● 情景对话 Situational Dialogues

1. 都安排好了 All Set

(Li Yuan comes to Wang Wen.)

lǐ yuán   wáng jīng lǐ   jī piào yǐ jīng gěi nín dìng hǎo le   shí jiān shì zhōu
李 园 ： 王 经 理,机 票 已 经 给 您 订 好 了,时 间 是 周

sān shàng wǔ jiǔ diǎn sānshí fēn qǐ fēi   nín kàn kě yǐ ma
三 上 午 9 点   30 分 起飞,您 看 可 以 吗?

Li Yuan: Manager Wang, the ticket is booked for this Wednesday at 9:30
in the morning. Is that OK?

wáng wén　kě yǐ kě yǐ　xiè xie le　jiǔ diàn ne
王　文：可以可以，谢谢了。酒店呢？

Wang Wen: OK. Thank you. How about the hotel?

lǐ yuán　jiǔ diàn yě yǐ jīng yù dìng hǎo le
李　园：酒店也已经预订好了。

Li Yuan: The room has been reserved already.

wáng wén　zài shén me dì diǎn a
王　文：在什么地点啊？

Wang Wen: Where is the hotel?

lǐ yuán　dì zhǐ jiù zài wǒ men shàng hǎi bàn shì chù fù jìn　zhè yàng
李　园：地址就在我们上海办事处附近，这样

fāng biàn nín gōng zuò
方便您工作。

Li Yuan: It's near our office in Shanghai. Should be pretty convenient

for you.

wáng wén　nǐ xiǎng de zhēn zhōu dào
王　文：你想得真周到。

Wang Wen: You are very thoughtful.

lǐ yuán　wǒ yǐ jīng tōng zhī le shàng hǎi bàn shì chù de zhèng jūn　tā
李　园：我已经通知了上海办事处的郑军，他

huì dào jī chǎng jiē nín　rán hòu zhí jiē sòng nín dào jiǔ diàn
会到机场接您，然后直接送您到酒店。

Li Yuan: I have informed Zheng Jun in the Shanghai office. He will pick

you up at the airport and take you to your hotel.

wáng wén　tài gǎn xiè le　duì le　zhèng jūn nǐ rèn shi ma
王　文：太感谢了！对了，郑军你认识吗？

Wang Wen: Thanks a lot. Buy the way, do you know Zheng Jun?

lǐ yuán　dāng rán rèn shi
李　园：当然认识！

Li Yuan: Sure, I know him.

wáng wén   zhè ge rén zěn me yàng a
王 文：这 个 人 怎 么 样 啊？

Wang Wen: What is he like?

lǐ yuán   tā zài nà li yǐ jīng gōng zuò le hǎo jǐ nián le   shì shàng hǎi
李 园：他 在 那 里 已 经 工 作 了 好 几 年 了，是 上 海

běn dì rén   wǒ men jiàn guo jǐ cì miàn   rén tǐng rè qíng de
本 地 人。我 们 见 过 几 次 面，人 挺 热 情 的。

Li Yuan: He has been working there for several years. He is a native
Shanghai resident. We have met several times. He is a pretty
warm person.

wáng wén   hǎo   wǒ zhī dào le   xiè xie nǐ
王 文：好，我 知 道 了。谢 谢 你！

Wang Wen: OK, I see. Thank you!

词汇 Vocabulary

起飞 qǐ fēi
take off

办事处 bàn shì chù
office

地址 dì zhǐ
address

方便 fāng biàn
convenience

本地人 běn dì rén
native

热情 rè qíng
passionate, zealous

---

2. 一路顺风 Bon Voyage

wáng wén   lǐ yuán   tīng shuō nǐ shì shàng hǎi fù jìn de rén
王 文：李 园，听 说 你 是 上 海 附 近 的 人？

Wang Wen: Li Yuan, I heard that you are from somewhere near Shanghai?

lǐ yuán   wǒ lǎo jiā zài jiā xīng   lí shàng hǎi bù yuǎn   zuò chē jǐ ge xiǎo
李 园：我 老 家 在 嘉 兴，离 上 海 不 远，坐 车 几 个 小

shí jiù dào le
时 就 到 了。

Li Yuan: My hometown is Jia Xing, not too far from Shanghai. Just a few
hours away by coach.

wáng wén   jiā xīng hǎo dì fang a   yú mǐ zhī xiāng
王 文：嘉 兴 好 地 方 啊，"鱼 米 之 乡"。

Wang Wen: Jia Xing is a good place! "A land flowing with milk and
honey."

lǐ yuán   zhè cì chū chāi nín yǒu jī huì qù ma
李 园：这 次 出 差 您 有 机 会 去 吗？

Li Yuan: Will you have a chance to go there this time?

wáng wén   nà biān yǒu wǒ men de kè hù   zhè cì yǒu shí jiān de huà kě
王 文：那 边 有 我 们 的 客 户，这 次 有 时 间 的 话 可
néng yào dào fù jìn chéng shì zhuàn yí zhuàn
能 要 到 附 近 城 市 转 一 转 。

Wang Wen: We do have clients over there. Maybe I will go to visit a few
sites around there if I have spare time.

lǐ yuán   zhēn xiàn mù nín a
李 园：真 羡 慕 您 啊！

Li Yuan: I'm so envious of you!

wáng wén   duì le   xū bu xū yào bāng nǐ gěi jiā li shāo diǎn dōng xi
王 文：对 了，需 不 需 要 帮 你 给 家 里 捎 点 东 西？

Wang Wen: Oh, do you need me to take anything to your family?

lǐ yuán   xiè xie bú yòng le   qián bù jiǔ   wǔ yī huáng jīn zhōu de shí
李 园：谢 谢，不 用 了，前 不 久"五 一 黄 金 周"的 时
hou wǒ gāng huí qu guo   nǐ nà huìr   hái méi lái gōng sī   yào
候 我 刚 回 去 过。你 那 会 儿 还 没 来 公 司，要
bù rán kě yǐ cháng chang wǒ dài huí lai de jiā xīng zòng zi
不 然 可 以 尝 尝 我 带 回 来 的 嘉 兴 粽 子。

Li Yuan: Thank you. It is not necessary. I just went back recently during

May Day holidays. You were not with the company yet back then. Otherwise you could have tasted the *zongzi* I brought back from Jia Xing.

wáng wén   zhēn kě xī   bú guò zhè cì yǒu jī huì wǒ yí dìng hǎo hǎo
王　文：真 可 惜，不 过 这 次 有 机 会 我 一 定 好 好
　　　　chángchang
　　　　尝　尝 。

Wang Wen: What a pity. But this time I will make sure that I get a taste if possible.

lǐ yuán   hǎo nín máng ba wǒ huí qù gōng zuò le   yù zhù nín yí lù
李 园：好 ，您 忙 吧，我 回 去 工 作 了。预 祝 您 一 路
　　　　shùn fēng
　　　　顺 风 !

Li Yuan: That's nice. I will let you stay busy. I am back to my work. Have a nice trip!

wáng wén   xiè xie
王　文：谢 谢 。

Wang Wen: Thank you.

词汇 Vocabulary

嘉兴 jiā xīng
(name of a city)

鱼米之乡 yú mǐ zhī xiāng
a land flowing with fish and rice; a land flowing with milk and honey

转一转 zhuàn yí zhuàn
look around

羡慕 xiàn·mù
envy

捎东西 shāo dōng xi
take something to others for someone

粽子 zòng zi
dumpling made of glutinous rice wrapped in bamboo or reed leaves

一路顺风 yí lù shùn fēng
have a nice trip

相关用语 Relevant Expressions

机场
jī chǎng / airport

登机牌
dēng jī pái / boarding pass

身份证
shēn fèn zhèng / identification card

迎接
yíng jiē / welcome; reception

外地人
wài dì rén / outlander; one who is from anothor place; visitor

拜访客户
bài fǎng kè hù / pay a visit to the clients; customer call

土特产
tǔ tè chǎn / special local produce

口福
kǒu fú / have the luck to eat something delicious

语言文化小贴士
Language Tips

jiāng nán

1. 江 南

江南原意指"长江以南",现在泛指江苏南部和浙江北部地区。由于过去江南地区气候温暖,雨水充沛,北方人口不断向江南地区移民,使得这个地区的农业发展很快,城市的规模也不断扩大。江南地区领导中国古代的社会发展至少有 1000 多年的历史,经济和文化都非常发达。许多历史上著名的文化和政治人物都来自这个地区。中国历史上很多朝代都在江南地区定都。

The original meaning of "jiāng nán" is "to the south of the Yangtze River". Now it includes the southern part of Jiangsu Province and northern part of Zhejiang Province. Warm weather, plenty rainfall and continuous migration of northerners into the area have sped up agricultural as well as urban development. Jiangnan has about 1000 years of history in leading the development of early China with its economic and cultural strength. In history, many highly distinguished scholars and politicians came from this area and many Chinese dynasties established their capitals in this area.

huáng jīn zhōu
2. 黄 金 周

从 1999 年"十一"国庆节的假期开始,中国开始实行"黄金周"的假期制度。即在春节、五一劳动节、国庆节三个节日期间,在全国范围内统一连续放七天长假。人们利用长假,纷纷出游,这对旅游业来说是一个黄金期。因此习惯上,大家都把七天长假称为"黄金周"。

Starting October 1st of 1999, China National day, the "Golden Week" holiday went into effect. People now enjoy seven days of holiday for Spring Festival, Labor Day and National Day. People spend their long holidays traveling, which are golden periods for tourism. Because of this, people refer to the holidays as "Golden Week".

● 练习 Exercises

1. 选词填空 Fill in the blanks with the words given below.

  1）麻烦你帮我给老张_____点东西。（稍、捎）

  2）这是我家乡的_____，请大家都尝一尝。（特产、特点）

  3）我真_____你能说这么流利的中文。（羡慕、爱慕）

  4）我是北京_____人。（本地、本来）

2. 完成句子 Complete the following sentences.

  1）这家酒店_____，很容易找到。（附近）

  2）这个会议很重要，_____。（通知）

  3）你不用担心赶不上火车，_____。（挺）

  4）_____，我们才发现这个问题。（前不久）

  5）飞机是下午_____。（起飞）

Reception
接待

UNIT 13

● 必备用语 Key Expressions

yí lù hái shùn lì ba
一路 还 顺 利吧？

How was your trip?

zhè wèi shì sī jī xiǎo liú
这 位 是 司机 小 刘。

This is our driver, Xiao Liu.

wǒ xiān sòng nín dào fàn diàn xiū
我 先 送 您 到 饭 店 休
xi ba
息 吧。

I will take you to the hotel first.

zán men xiān qù fàn diàn
咱 们 先 去 饭 店。

Let's go to the hotel first.

zhè jiàn shì wǒ zěn me méi tīng
这 件 事 我 怎 么 没 听
shuō guo
说 过？

How come I've never heard about this?

cǎi qǔ bǔ jiù cuò shī
采 取 补 救 措 施

try to remediate

nín kàn zhè jiàn shì zěn me chǔ lǐ
您 看 这 件 事 怎 么 处 理
hǎo
好？

What is your advice on dealing with the problem?

wǒ zhè jiù qù bàn
我 这 就 去 办。

I will do it at once.

nǐ bāng wǒ ān pái yí xià
你 帮 我 安 排 一 下。

Please make some arrangements for me.

xīn kǔ le
辛 苦 了！

Thank you for your hard work.

● 情景对话 Situational Dialogues

1. 开始工作 Starting to Work

(Wang Wen arrives in Shanghai. Coming out of the airport, he

113

sees a person holding a sign that says"Xing Da Company".)

wáng wén　　nǐ hǎo　shì zhèng jūn ma
王 文：你 好！是 郑 军 吗？

Wang Wen: Hi, are you Zheng Jun?

zhèng jūn　　nín shì wáng jīng lǐ ba
郑 军：您 是 王 经 理 吧？

Zheng Jun: Manager Wang ?

wáng wén　　shì wǒ
王 文：是 我。

Wang Wen: Yes, that's me.

zhèng jūn　　nín hǎo　wǒ jiù shì zhèng jūn　yí lù hái shùn lì ba
郑 军：您 好！我 就 是 郑 军。一路 还 顺 利 吧？

Zheng Jun: Nice to meet you. I am Zheng Jun. How was your trip?

wáng wén　　hěn shùn lì
王 文：很 顺 利。

Wang Wen: It was pretty smooth.

(Zheng Jun introduces the person next to Wang Wen.)

zhèng jūn　　zhè wèi shì sī jī xiǎo liú
郑 军：这 位 是 司机 小 刘。

Zheng Jun: This is our driver, Xiao Liu.

wáng wén　　xiǎo liú nǐ hǎo　wǒ shì wáng wén
王 文：小 刘你 好，我 是 王 文。

Wang Wen: Xiao Liu, nice to meet you. I am Wang Wen.

xiǎo liú　　wáng jīng lǐ　nín hǎo　chē zài wài bian děng zhe ne　wǒ xiān
小 刘：王 经 理，您 好。车 在 外 边 等 着 呢，我 先
　　　　sòng nín dào fàn diàn xiū xi ba
　　　　送 您 到 饭 店 休 息 吧。

Xiao Liu: Manager Wang, nice to meet you. The car is outside. I will take you to the hotel first.

wáng wén   méi guān xi   wǒ yì diǎn yě bú lèi
王 文：没 关 系，我 一 点 也 不 累。

Wang Wen: No problem. I'm actually not that tired.

zhèng jūn   xiàn zài shí jiān hái zǎo   zán men xiān qù fàn diàn   nín bǎ xíng
郑 军：现 在 时 间 还 早，咱 们 先 去 饭 店，您 把 行

li fàng xià   rán hòu zhí jiē qù bàn gōng shì
李 放 下，然 后 直 接 去 办 公 室。

Zheng Jun: It's still early right now. Let's go to the hotel and drop off
your luggage. Then we can go to the office directly after that.

wáng wén   wǒ men hái shi jǐn kuài kāi shǐ gōng zuò ba
王 文：我 们 还 是 尽 快 开 始 工 作 吧。

Wang Wen: We'd better start working as soon as possible.

zhèng jūn   hǎo
郑 军：好 。

Zheng Jun: OK.

词汇 Vocabulary

司机 sī jī
driver, chauffeur

尽快 jìn kuài
as soon as possible

休息 xiū xi
rest; break; take a break

2. 因小失大 Spoiling the Ship for a Halfpennyworth of Tar
(Wang Wen drops off the luggage at the hotel and goes to
the office with Zheng Jun.)

wáng wén   zuì jìn huá dōng qū xiāo shòu yè jì huá pō   xiè zǒng pài wǒ
王 文：最 近 华 东 区 销 售 业 绩 滑 坡，谢 总 派 我

lái shí dì liǎo jiě yí xià zào chéng zhè zhǒng zhuàng kuàng de
来实地了解一下造成这种状况的

yuán yīn
原因。

Wang Wen: Sales in Eastern China area has been going downhill. I was
sent by the General Manager to investigate the cause.

zhèng jūn   shì de gōng sī lǐng dǎo yǐ jīng gēn wǒ fǎn fù gōu tōng guo le
郑军：是的，公司领导已经跟我反复沟通过了。

Zheng Jun: Yes, the management has been communicating with me.

wáng wén   duì zhè ge wèn tí nǐ zěn me kàn
王文：对这个问题，你怎么看？

Wang Wen: What are your opinions on this?

zhèng jūn   zuì zhǔ yào de yuán yīn shì gāng fā shēng de yí ge shì jiàn
郑军：最主要的原因是刚发生的一个事件。

Zheng Jun: I think it is because of an incident that occurred just recently.

wáng wén   shuō lái tīng ting
王文：说来听听。

Wang Wen: Tell me about it.

zhèng jūn   qián bù jiǔ yǒu ge gù kè gòu mǎi le wǒ men de chǎn pǐn hòu
郑军：前不久有个顾客购买了我们的产品后，

shuō chū xiàn le zhì liàng wèn tí   yāo qiú tuì huò dàn shì
说出现了质量问题，要求退货。但是

tuì huò de shí hou fā xiàn chǎn pǐn de jī xiāng céng bèi chāi
退货的时候发现产品的机箱曾被拆

kāi guo gù kè shuō shì yīn wéi tā běn lái xiǎng dǎ kāi jī xiāng
开过。顾客说是因为他本来想打开机箱

zì jǐ xiū lǐ   dàn shì méi xiū lǐ hǎo gēn jù gōng sī de zhì dù
自己修理，但是没修理好。根据公司的制度，

zhè zhǒng qíng kuàng shì yīng gāi jù jué tuì huò de
这种情况是应该拒绝退货的。

Zheng Jun: Not long ago a buyer complained about the product's quality after making a purchase from us and wanted a refund. But when he brought the product back we discovered that the box had been opened. The buyer said that he wanted to open the box and do the repair himself but failed. According to our company's policy, normally we do not grant refunds in such case.

wáng wén　　nà hòu lái ne
王　文：那后来呢？

Wang Wen: What happened then?

zhèng jūn　　hòu lái běn dì de yì jiā bào zhǐ bào dào le zhè jiàn shì qing
郑　军：后来本地的一家报纸报道了这件事情。

　　　　　zhè jiā bào zhǐ suī rán zài quán guó míng bú jiàn jīng zhuàn
　　　　　这家报纸虽然在全国名不见经传，

　　　　　dàn shì zài dāng dì de yǐng xiǎng lì hái shi hěn dà de　zhè ge
　　　　　但是在当地的影响力还是很大的。这个

　　　　　bào dào duì gōng sī chǎn pǐn chǎn shēng le hěn dà de fù
　　　　　报道对公司产品产生了很大的负

　　　　　miàn yǐng xiǎng　wǒ rèn wèi jìn qī xiāo shòu yè jì xià jiàng
　　　　　面影响。我认为近期销售业绩下降

　　　　　hé zhè jiàn shì yǒu guān
　　　　　和这件事有关。

Zheng Jun: Then this incident was published in a local newspaper. Although the paper does not circulate much in the country, it has pretty big influences in this area. The article has hurt our product's image. I believe the recent sales drop is related to this.

wáng wén　　zhè jiàn shì wǒ zěn me méi tīng shuō guo
王　文：这件事我怎么没听说过？

Wang Wen: How come I've never heard about this?

zhèng jūn　　shì nín yǐ qián nà ge xiāo shòu bù jīng lǐ chǔ lǐ de　nín gāng lái
郑　军：是您以前那个销售部经理处理的，您刚来
　　　　　kě néng bù zhī dào
　　　　　可能不知道。

Zheng Jun: Your predecessor dealt with it. You may not know it since
　　　　　you just joined the company.

词汇 Vocabulary

业绩滑坡 yè jì huá pō
drop in sales

实地了解 shí dì liǎo jiě
to research or investigate on the spot

反复 fǎn fù
repeat; time after time; repeatedly

退货 tuì huò
return product for a refund

拒绝 jù jué
refuse; turn down

报道 bào dào
report

名不见经传 míng bú jiàn jīng zhuàn
unknown; not famous; not well-known

3. 亡羊补牢 Mending the Fold After a Sheep Is Lost

wáng wén　　nà dào dǐ wǒ men de nà jiàn chǎn pǐn yǒu méi yǒu zhì liàng wèn
王　文：那到底我们的那件产品有没有质量问
　　　　　tí ne
　　　　　题呢？

Wang Wen: So do our products have quality issues or not?

zhèng jūn　　yīn wèi jī xiāng céng jīng bèi dǎ kāi guo　xiàn zài pàn duàn bù
郑　军：因为机箱曾经被打开过，现在判断不
　　　　　chū lai dào dǐ shì zhì liàng wèn tí　hái shi gù kè dǎ kāi jī
　　　　　出来到底是质量问题，还是顾客打开机

xiāng hòu sǔn hài le nèi bù líng jiàn
箱　后　损　害　了　内　部　零　件。

Zheng Jun: Since the box had been opened, we can't really determine if it

was indeed a quality issue or if the internal parts were damaged

by the buyer.

wáng wén 　 ài 　 zhēn shì yīn xiǎo shī dà a 　 yí jiàn xiǎo shì chǔ lǐ bù hǎo
王　文：哎，真　是　因　小　失　大　啊！一　件　小　事　处　理　不　好，

yǐng xiǎng le zhěng ge gōng sī chǎn pǐn de xíng xiàng 　 zhè
影　响　了　整　个　公　司　产　品　的　形　象，这

bú shì diū le xī guā jiǎn zhī ma ma 　 wǒ kàn yīng gāi jǐn kuài
不　是　丢　了　西　瓜　捡　芝　麻　吗？我　看　应　该　尽　快

cǎi qǔ bǔ jiù cuò shī
采　取　补　救　措　施。

Wang Wen: Gee, losing something big for something insignificant.

Because of one little incident that was not properly dealt

with, the whole company's image is affected now. I think

we should try to remediate it right away.

zhèng jūn 　 nín kàn zhè jiàn shì zěn me chǔ lǐ hǎo
郑　军：您　看　这　件　事　怎　么　处　理　好？

Zheng Jun: What is your advice on dealing with it?

wáng wén 　 wǒ xiǎng xiān lián xì shàng nà ge gù kè 　 duì tā biǎo shì qiàn yì
王　文：我　想　先　联　系　上　那　个　顾　客，对　他　表　示　歉　意，

bìng wú tiáo jiàn tuì huàn chǎn pǐn
并　无　条　件　退　换　产　品。

Wang Wen: I want to contact that buyer and express our regret. Also

I would like to give him a full refund.

zhèng jūn 　 duì 　 xiàn zài yǐ jīng gù bú shàng jiū chán xì jié le
郑　军：对，现　在　已　经　顾　不　上　纠　缠　细　节　了。

Zheng Jun: I agree. We don't have time to argue about the details.

王 文： 然后 联系 那家 报纸， 澄 清 我们 的 态度，通
报 一下 我们 的 最 终 处理结果，要 体现 出
我 们 一 贯 "以 顾客 为 上 帝，以 质 量 为 生
命 "的 公 司 精 神 。

Wang Wen: Next, we should get in touch with the newspaper, clarify our attitude toward this situation and our final solution. We need to make clear our philosophy " Customers are our God, Quality is our life."

郑 军：好 的，我 这 就 去 办 。

Zheng Jun: OK. I will do it at once.

王 文： 还 有，处理 完 这 件 事 后， 我 想 去 拜 访 一
下 我 们 在 这 个 地 区 的 主 要 大 客 户，你 帮 我
安 排 一 下 。

Wang Wen: Also, I want to visit our major clients in this area after we handle this. Please make some arrangements for me.

郑 军：好 的，没 问 题 。

Zheng Jun: No problem.

王 文：辛 苦 了 !

Wang Wen: Thank you for your hard work.

词汇 Vocabulary

亡羊补牢 wáng yáng bǔ láo
mend the fold after a sheep is lost

判断 pàn duàn
judge, estimate

因小失大 yīn xiǎo shī dà
spoil the ship for a halfpennyworth of tar, lose something big for something small

丢了西瓜捡芝麻 diū le xī guā jiǎn zhī ma
put aside a watermelon to pick up a sesame; try to save a little but lose a lot

补救措施 bǔ jiù cuò shī
remediation measure

歉意 qiàn yì
regret

纠缠 jiū chán
badger with; tangle

澄清 chéng qīng
clarify

通报 tōng bào
report, notify

一贯 yí guàn
all along; persistent

公司精神 gōng sī jīng shén
spirit of a company; company's philosophy

拜访 bài fǎng
pay a visit; call on

相关用语 Relevant Expressions

舟车劳顿
zhōu chē láo dùn / feel tired because of a journey

出租车
chū zū chē / taxi

机场大巴
jī chǎng dà bā / airport shuttle

影响力
yǐng xiǎng lì / influence

售后服务
shòu hòu fú wù / after-sale service

免费维修
miǎn fèi wéi xiū / maintenance

赔偿
péi cháng / pay for; compensate

Office Talk

客观报道
kè guān bào dào /
an impersonal report

负面新闻
fù miàn xīn wén /
negative news report

丑闻
chǒu wén / scandal

公众
gōng zhòng/ public

损失名誉
sǔn shī míng yù / lose
reputation

语言文化小贴士
Language Tips

kè qi huà
1. 客气话

　　汉语的口语表达中,客气话比较多,通常"吃了吗?""上哪儿去啊?"和"到哪儿去啦?"这样见面打招呼的话,都是表示客套,其实并不是真的想要知道对方吃饭或者出行的具体情况。如果有贵客或不大熟的人来访或串门儿,客人离开时,按中国的习惯,主人要把客人送到房门口或大门口。客人对主人说"请留步",主人最后要说"走好"、"慢走"、"慢点儿骑(自行车)"之类的客套话。求别人办事时,一般用"劳驾"开头;请别人让路时一般用"借光"或"请让一让";询问某事时一般加"请问"。另外,"辛苦了"是一句很客气的话,表示对别人的关心。有时用"辛苦了"来肯定别人付出辛勤的劳动和所做出的成绩,并表示慰问。

　　In the spoken Chinese language, there are many polite phrases, normally greetings such as "chī le ma?" "shàng nǎr qù a?" and "dào nǎr qù la?" They are used to show politeness or courtesy rather than to inquire about the details. When the guest is leaving from a visit, based on Chinese tradition, the host usually accompanies the guest to the exit. The guest will say "qǐng liú bù", and the host will say "zǒu hǎo, màn zǒu, màn diǎnr qí

(zì xíng chē)". When asking others to do something, people usually start by saying "láo jià". When trying to get around or pass someone, people say "jiè guāng" or "qǐng ràng yí ràng", which is the equivalent of "excuse me". When asking a question, people tag the phrase "qǐng wèn". Also, "xīn kǔ le" is a warm expression used to show concerns or care for someone. Sometimes people use "xīn kǔ le" to recognize or confirm someone's hard work or achievements.

diū le xī guā jiǎn zhī ma
2.丢了西瓜 捡 芝 麻

汉语中常用芝麻对事物进行类比,形容事物非常微小,如"芝麻官"、"芝麻事","丢了西瓜捡芝麻"有"得不偿失"的喻义,比喻抓住了次要的东西而放弃了主要的东西,属于俗语。俗语作为一种语言形式多用于口语中,俗语的特点是形象生动。

People use the word of "zhī ma (sesame)" to refer to tiny things in Chinese. Such as "zhī ma guān", which means low official position. "Diū le xī guā jiǎn zhī ma (drop a watermelon to pick up a sesame)", means giving up the important things because of the insignificant ones, like English idiom, "spoil the ship for a halfpennyworth of tar". There are a lot of idioms in Chinese for comparison. They are very expressive and are easily understandable.

● 练习 Exercises

1. 完成对话 Complete the following dialogues.

1）A：＿＿＿＿＿＿＿＿（一路上）
B：我不是很累。

2）A：＿＿＿＿＿＿＿＿（听说）
B：从来没人跟我说过这件事。

3）A：你跟那个客户提过这件事吗？
B：＿＿＿＿＿＿＿＿（顾不上）

4）A：＿＿＿＿＿＿＿＿（尽快）
B：时间还来得及。

2. 选词填空 Fill in the blanks with the words given below.

反复　滑坡　沟通　拒绝　报道　补救　澄清

1）这个事件应当尽快向公众＿＿＿＿＿＿，否则对公司很不利。

2）由于竞争对手在搞降价活动，所以我们的销售业绩出现＿＿＿。

3）同事之间的＿＿＿＿＿＿是很有必要的。

4）现在有些媒体的＿＿＿＿＿＿很不负责任。

5）如果不采取＿＿＿＿＿＿措施，这件事情就会越闹越大。

6）公司领导＿＿＿＿＿＿强调各部门的团结协作。

7）如果＿＿＿＿＿＿退货，一定要给客户充足的理由。

产品展示会
Products Exhibits

● 必备用语 Key Expressions

wǒ yǐ jīng dōu tōng zhī guo kè hù le
我 已 经 都 通 知 过 客 户 了。

I have notified all clients.

wǒ yǒu yí ge xīn xiǎng fǎ
我 有 一 个 新 想 法。

I have a new idea.

zhè yàng de huà dào shì kě yǐ tí
这 样 的 话，倒 是 可 以 提

gāo xiào lǜ
高 效 率。

That's a good way to be more effective.

wǒ jué de zhè ge xiǎng fǎ kě xíng
我 觉 得 这 个 想 法 可 行。

I think this idea could be executed.

gǎn jǐn ná chū huó dòng de fāng àn
赶 紧 拿 出 活 动 的 方 案

hustle and put a plan together

zuò yù suàn
做 预 算

put together a budget

wǒ huì gēn zǒng bù gōu tōng yí xià
我 会 跟 总 部 沟 通 一 下。

I will talk to the headquarters.

huì yì de xiào guǒ yí dìng huì gèng
会 议 的 效 果 一 定 会 更

hǎo
好。

It will be a more effective meeting.

● 情景对话 Situational Dialogues

1. 拿出活动方案 Putting Together a Plan

wáng wén   zhèng jūn   wǒ men shàng cì shuō de bài fǎng kè hù de shì qing
王 文： 郑 军，我 们 上 次 说 的 拜 访 客 户 的 事 情

ān pái de zěn me yàng le
安 排 得 怎 么 样 了？

Wang Wen: Zheng Jun, where are we on the client visiting plan we talked about last time?

zhèng jūn　wáng jīng lǐ　wǒ yǐ jīng dōu tōng zhī guo kè hù le　bú guò
郑 军：王 经 理，我 已 经 都 通 知 过 客 户 了。不 过，
　　　　　wǒ yǒu yí ge xīn xiǎng fǎ
　　　　　我 有 一 个 新 想 法。

Zheng Jun: Manager, I have notified all clients. But I have a new idea.

wáng wén　hǎo　shuō lái tīng ting
王 文：好，说 来 听 听。

Wang Wen: OK. I am listening.

zhèng jūn　wǒ men zuì jìn zhèng hǎo yào gěi kè hù jiè shào gōng sī xīn tuī
郑 军：我 们 最 近 正 好 要 给 客 户 介 绍 公 司 新 推
　　　　　chū de chǎn pǐn hé fú wù
　　　　　出 的 产 品 和 服 务。

Zheng Jun: We are about to promote some new products and services to our clients.

wáng wén　duì le　wǒ zhè cì yě gěi nǐ men dài lái le zuì xīn de zī liào
王 文：对 了，我 这 次 也 给 你 们 带 来 了 最 新 的 资 料。

Wang Wen: Right, I have brought you the latest material.

zhèng jūn　wǒ jué de lì yòng zhè cì jī huì　wǒ men bù rú jiāng kè hù
郑 军：我 觉 得 利 用 这 次 机 会，我 们 不 如 将 客 户
　　　　　jí zhōng zài yì qǐ　zhào kāi yí cì chǎn pǐn zhǎn shì huì
　　　　　集 中 在 一 起，召 开 一 次 产 品 展 示 会。

Zheng Jun: Why don't we use this opportunity to gather all of our clients and host an exhibit?

wáng wén　zhè ge xiǎng fǎ bú cuò
王 文：这 个 想 法 不 错。

Wang Wen: Good idea.

zhèng jūn　nín kě yǐ zài huì shang jí zhōng xiàng kè hù jiè shào yí xià
郑 军：您 可 以 在 会 上 集 中 向 客 户 介 绍 一 下

gōng sī de zuì xīn dòng tài
公 司 的 最 新 动 态。

Zheng Jun: You could present to our clients the direction and movement of
the company at the event.

wáng wén　zhèng hǎo shì chǎng bù gāng gāng gēng xīn le duì wài xuān chuán
王 文：正 好 市 场 部 刚 刚 更 新 了 对 外 宣 传

de wén jiàn　wǒ men yòng de shàng
的 文 件，我 们 用 得 上。

Wang Wen: The marketing department just recently updated the advertising
material. We could use that.

zhèng jūn　nín kě yǐ jí zhōng jiàn dào wǒ men de kè hù　yǔ tā men jìn xíng
郑 军：您 可 以 集 中 见 到 我 们 的 客 户，与 他 们 进 行

jiāo liú gōu tōng
交 流 沟 通。

Zheng Jun: You can meet all of our clients at one time and talk to them
face to face.

wáng wén　zhè yàng de huà dào shì kě yǐ tí gāo xiào lǜ
王 文：这 样 的 话 倒 是 可 以 提 高 效 率。

Wang Wen: That's a good way to be more effective.

zhèng jūn　wǒ men hái kě yǐ lì yòng zhè cì jī huì tīng qǔ kè hù de yì jiàn
郑 军：我 们 还 可 以 利 用 这 次 机 会 听 取 客 户 的 意 见，

bìng jí shí fǎn kuì
并 及 时 反 馈。

Zheng Jun: We can also use this opportunity to hear from our clients and
provide timely feedback.

wáng wén　wǒ jué de zhè ge xiǎng fǎ kě xíng　wǒ men gǎn jǐn ná chū
王 文：我 觉 得 这 个 想 法 可 行。我 们 赶 紧 拿 出

huó dòng de fāng àn ba
活 动 的 方 案 吧。

Wang Wen: I think this idea could be executed. Let's hustle and put a
plan together.

词汇 Vocabulary

最新资料 zuì xīn zī liào
latest material

效率 xiào lǜ
efficiency

展示会 zhǎn shì huì
show, exhibit

反馈 fǎn kuì
feedback

动态 dòng tài
trends, development, movement

不如 bù rú
would be better

更新 gēng xīn
update, refresh

2. 向总部申请 Applying to the Headquarters

zhèng jūn　　wǒ hé bàn shì chù de tóng shì lái ān pái zhǎn shì huì de shí jiān
郑　军：我 和 办 事 处 的 同 事 来 安 排 展 示 会 的 时 间
　　　　　　 dì diǎn　huì yì yì chéng　cǎo nǐ kè hù míng dān
　　　　　　地 点 、会 议 议 程 ，草 拟 客 户 名 单。

Zheng Jun: I will arrange the time, place, agenda and guests list with our
colleagues.

wáng wén　　bié wàng le zuò yí fèn yù suàn　wǒ men xū yào xiàng zǒng bù
王　文：别 忘 了 做 一 份 预 算，我 们 需 要 向 总 部
　　　　　　 dǎ bào gào shēn qǐng jīng fèi
　　　　　　打 报 告 申 请 经 费。

Wang Wen: Don't forget to put together a budget. We need to request for
funds from the headquarters.

zhèng jūn　　hǎo de　wǒ men shì fǒu xū yào ān pái gěi kè hù zèng sòng xiǎo
郑　军：好 的。我 们 是 否 需 要 安 排 给 客 户 赠 送 小
　　　　　　 lǐ pǐn hé wǔ cān
　　　　　　礼 品 和 午 餐？

Zheng Jun: OK. Should we prepare some small gifts and business lunches
for guests?

wáng wén   xiān ān pái zài yù suàn li ba   wǒ men gēn jù yù suàn de jié guǒ
王　文：先 安 排 在 预 算 里 吧，我 们 根 据 预 算 的 结 果

　　　　zài tiáo zhěng
　　　　再 调 整 。

Wang Wen: Include them in the budget. We can make changes when we

　　　　　get the final estimate.

zhèng jūn   wǒ men zhè jiù qù zuò fāng àn
郑　军：我 们 这 就 去 做 方 案。

Zheng Jun: We'll do it right now.

wáng wén   wǒ hái huì gēn zǒng bù gōu tōng yí xià   kàn kan xiè zǒng néng bu
王　文：我 还 会 跟 总 部 沟 通 一 下，看 看 谢 总 能 不

　　　　néng qīn zì lái cān jiā zhè ge huì yì
　　　　能 亲 自 来 参 加 这 个 会 议。

Wang Wen: I will also talk to headquarters and find out whether the

　　　　　General Manager can attend the event.

zhèng jūn   rú guǒ xiè zǒng néng lái de huà   nà jiǎn zhí tài hǎo le   huì yì
郑　军：如 果 谢 总 能 来 的 话，那 简 直 太 好 了。会 议

　　　　de xiào guǒ yí dìng huì gèng hǎo
　　　　的 效 果 一 定 会 更 好 。

Zheng Jun: It would be great if he can attend. It will be a more effective

　　　　　meeting.

wáng wén   duì   wǒ men gèng yào rèn zhēn zhǔn bèi le
王　文：对，我 们 更 要 认 真 准 备 了。

Wang Wen: Yes, we need to make better preparations then.

zhèng jūn   gōng sī zhè yàng zhī chí   wǒ men jīn nián de xiāo shòu é yí dìng
郑　军：公 司 这 样 支 持，我 们 今 年 的 销 售 额 一 定

　　　　bú huì luò hòu
　　　　不 会 落 后 !

Zheng Jun: With the strong support from the company, our sales will no

　　　　　longer fall behind this year.

Office Talk

词汇 Vocabulary

会议议程 huì yì yì chéng
meeting agenda

草拟 cǎo nǐ
draw; sketch out; rough draft

预算 yù suàn
budget

赠送 zèng sòng
donate, present

落后 luò hòu
drop behind; fall behind

相关用语 Relevant Expressions

答谢会
dá xiè huì / appreciation
meeting

博览会
bó lǎn huì / exposition

招待会
zhāo dài huì / reception

新闻发布会
xīn wén fā bù huì /
press conference

经销商
jīng xiāo shāng / dealer;
franchiser

合作伙伴
hé zuò huǒ bàn / partner

物流
wù liú / logistics

公关
gōng guān / public relation

语言文化小贴士
Language Tips

gōng guān huì tán de lǐ yí
1. 公 关 会 谈 的 礼仪

　　素有"礼仪之邦"美誉的中华民族在公关会谈中更要注意礼仪。首先要注意怎样的表情与姿态是礼貌的。其次还要注意动作和行为。说话的时候要注意语速与情绪,尽量使用短句、简单明了的词语和明确的措辞,讲话的速度快慢得当。另外一定要把握与他人开玩笑的尺度,千万别开得过了头。

During business meetings you must pay attention to proper etiquette. First you need to know how to show politeness through your expressions and gestures. Second, you need to pay attention to your movements and behavior. When speaking, you need to pay attention to the speed and tone. Try to use short, clear and straight-to-the-point sentences and expressions. You should speak at a proper speed. Also be careful when joking with others, don't go overboard and end up offending others.

shāng wù sòng lǐ de yào diǎn
2. 商务送礼的要点

赠送礼物是商务活动中表示友好、拉近彼此关系的有效手段,也是一门艺术。首先礼物的轻重要得当,礼品太轻或者太贵重都达不到交际的效果,应当选择以对方能够愉快接受为尺度,争取做到少花钱,多办事。其次送礼的间隔要适宜,过频过繁或间隔过长都不合适。一般来说,以选择重要节日、喜庆、寿诞送礼为宜。

送礼还要了解对方的风俗禁忌,以及受礼人的身份、爱好、民族习惯。在中国,最常见的是不要送钟,因为汉语中"钟"与"终"谐音,让人觉得不吉利。礼物是感情的载体,中国人常说"礼轻情义重"。任何礼物都表示送礼人的特有心意,最好的礼品应该是根据对方兴趣爱好选择的、富有意义的礼品。

Giving gifts during business events shows friendliness and is an effective way to help establish or build relationships. However, giving business gifts is an art in itself. First, the gifts should be appropriate based on the occasion. Both too much or too little gifts won't achieve any effect. The gift should be something the receiver would like to accept. Try to accomplish more with less money. Second, the frequency of giving gifts should be controlled. It should not be too frequent or too infrequent. Typically it is best to give gifs during major holidays and celebrations.

You also need to understand others' customs of giving or receiving gifts, and you need to pay attention to their position, hobbies and cultural habits. Typically, people do not give clocks as gifts in China. The pronunciation of clocks in Chinese rhymes with "the end" and sounds very unlucky. Gifts are vehicles of feelings. There is a Chinese saying "lǐ qīng qíng yì zhòng (a gift may be small but it represents special kindness and concern from the giver)". The best gifts are meaningful ones or ones chosen based on receivers' hobbies.

● 练习 Exercises

1. 选词填空 Fill in the blanks with the words given below.

预算   方案   展示   正好   不如

1）在这次活动中,我们准备向顾客_____公司最新推出的电视。

2）借着这次出差的机会,我_____品尝一下江南的特色小吃。

3）既然你不想看书,_____出去走走吧。

4）请做一个_____,我需要向总部打报告申请经费。

5）我觉得这个想法可行,你们能尽快出一个_____吗?

2. 口语练习 Oral Practice

谈谈你收到过的最珍贵的礼物,你们国家和中国人在送礼的习惯上有哪些不同?

谈论企业文化
Discussing Corporate Culture

● 必备用语 Key Expressions

wǒ yě yǒu tóng gǎn
我 也 有 同 感。
I feel the same.

wǒ jué de xiàn zài gōng sī de qì fēn
我 觉 得 现 在 公 司 的 气 氛
jiù hěn hǎo
就 很 好。
I think the morale is pretty high at this company.

nǔ lì zuò shì
努 力 做 事
work very hard

tòu míng dù gāo
透 明 度 高
everything is out in the open.

tí shēng gōng sī de jià zhí guān hé
提 升 公 司 的 价 值 观 和

xíng wéi zhǔn zé
行 为 准 则
improve our value perception and behavior guidelines

zhòng shì rén cái de fā zhǎn cè lüè
重 视 人 才 的 发 展 策 略
pay attention to employees' career development

wǒ jiàn yì yìng dāng tīng qǔ guǎng
我 建 议 应 当 听 取 广
dà yuán gōng de yì jiàn
大 员 工 的 意 见。
I suggest that we should listen to our employees' suggestions and feedback.

yíng zào gèng hǎo de qǐ yè wén huà
营 造 更 好 的 企 业 文 化
building a better corporate culture

● 情景对话 Situational Dialogues

1. 和谐的工作环境 Harmonious Working Environment

(Several employees are chatting during lunch break.)

yuán gōng   nǐ shì xīn lái de xiǎo liú ba
员 工 1：你是 新 来 的 小 刘 吧?
Employee 1: Are you the newcomer, Xiao Liu?

yuán gōng   shì wǒ shì liú hǎi nǐ shì
员　工 2：是 , 我 是 刘 海 , 你 是……

Employee 2: Yes, I am Liu Hai, and you are...

yuán gōng   tā jiào lǐ fēi   wǒ men bù mén de   wǒ men liǎng ge yì qǐ
员　工 3：他 叫 李 飞 , 我 们 部 门 的 , 我 们　两 个 一 起

jìn de gōng sī
进 的 公 司。

Employee 3: His name is Li Fei, a member of our department. We two join-
ed the company at the same time.

yuán gōng   liú hǎi nǐ wèi shén me lí kāi yuán lái de gōng sī ne
员　工 1：刘 海 , 你 为　什 么 离 开　原　来 的 公 司 呢?

Employee 1: Liu Hai, why did you leave your previous company?

yuán gōng   wǒ zài yuán lái de gōng sī li gàn le yì nián   yì zhí hěn
员　工 2：我 在　原　来 的 公 司 里 干 了 一 年 , 一 直 很

yā yì   jué de zài nà jiā gōng sī méi shén me qián tú
压 抑 , 觉 得 在 那 家 公 司 没　什 么 前 途。

Employee 2: I worked for that company for a year and always felt depre-
ssed. I didn't think I could have a future there.

yuán gōng   nà kě néng shì gōng sī de qǐ yè wén huà yǒu wèn tí
员　工 1：那 可 能 是 公 司 的 企 业 文 化 有　问 题。

Employee 1: That may be because of problems related to the corporate
culture.

yuán gōng   méi cuò   nà jiā gōng sī rén yǔ rén zhī jiān quē fá chéng xìn
员　工 2：没 错 , 那 家 公 司 人 与 人 之 间 缺 乏　诚　信 ,

hěn nán hé zuò   tīng shuō shàng ge yuè   wǒ yuán lái de gōng
很 难 合 作。听　说　上　个 月 , 我　原　来 的 公

sī yǐ jīng dǎo bì jiě sàn le
司 已 经　倒 闭 解 散 了。

Employee 2: You are right. There was a lack of trust among the employees
at that company. It was hard for people to work together as a

team. I heard that the company went bankrupt and closed down last month.

yuán gōng
员　工3：我觉得企业文化是一家公司的灵魂。
wǒ jué de qǐ yè wén huà shì yì jiā gōng sī de líng hún

Employee 3: I believe that corporate culture is the soul of a company.

yuán gōng
员　工1：我也有同感。我觉得现在的公司气氛
wǒ yě yǒu tóng gǎn　wǒ jué de xiàn zài de gōng sī qì fēn
　　　　　就很好，虽然很忙碌，但是大家都是
jiù hěn hǎo　suī rán hěn máng lù　dàn shì dà jiā dōu shì
　　　　　在努力做事。
zài nǔ lì zuò shì

Employee 1: I feel the same way. I think the morale is pretty high at this company. Although everyone is busy, we all work very hard.

yuán gōng
员　工2：而且不用在人际关系上费什么心思。
ér qiě bú yòng zài rén jì guān xì shang fèi shén me xīn si

Employee 2: And we don't have to spend too much time on office politics.

yuán gōng
员　工3：我们这里透明度也高，什么事都摆
wǒ men zhè li tòu míng dù yě gāo　shén me shì dōu bǎi
　　　　　在明处，这让大家心服口服。
zài míng chù　zhè ràng dà jiā xīn fú kǒu fú

Employee 3: Also everything here is out in the open. Everyone is convinced and committed.

yuán gōng
员　工1：我不觉得自己在这里只是一个打工的，还
wǒ bù jué de zì jǐ zài zhè li zhǐ shì yí ge dǎ gōng de　hái
　　　　　是很有主人翁的感觉。
shi hěn yǒu zhǔ rén wēng de gǎn jué

Employee 1: I don't feel like I'm just some worker here. I feel like I am part of the company and I have ownership in it.

yuán gōng
员　工2：我觉得和以前的公司形成明显的对
wǒ jué de hé yǐ qián de gōng sī xíng chéng míng xiǎn de duì

bǐ xiàn zài gōng sī de fēng qì tè bié hǎo
比，现 在 公 司 的 风 气 特 别 好。

Employee 2: It's in clear contrast with my previous company. The fundamental values are good here.

yuán gōng　　ér qiě hái néng rèn shi nǐ men zhè yàng de péng you
员　工 3：而且 还 能 认 识 你 们 这 样 的 朋 友！

Employee 3: Also I get to meet friends like you.

词汇 Vocabulary

企业文化 qǐ yè wén huà corporate culture	**气氛** qì fēn atmosphere
和谐 hé xié harmonious	**人际关系** rén jì guān xì interpersonal relationship
压抑 yā yì oppression, depression	**透明度** tòu míng dù transparency
缺乏 quē fá lack; lack of	**心服口服** xīn fú kǒu fú be convinced
倒闭 dǎo bì close down; go bankrupt	**主人翁** zhǔ rén wēng master; someone who has ownership
解散 jiě sàn dismiss, disband	
灵魂 líng hún soul, spirit	

2. 注重企业文化建设 Paying Attention to Building Corporate Culture

(The management is having a discussion.)

xiè zǒng　　gōng sī mǎ shàng yào nián zhōng zǒng jié le　qǐng gè bù mén
谢 总： 公 司 马 上 要 年 终　 总 结 了，请 各 部 门

rèn zhēn zuò hǎo zhǔn bèi　jīn tiān wǒ xiǎng gēn dà jiā tǎo lùn
认　真　作　好　准　备。今　天　我　想　跟　大　家　讨　论
yí xià yǒu guān zán men gōng sī qǐ yè wén huà de wèn tí
一　下　有　关　咱　们　公　司 企　业　文　化　的　问　题。

Mr. Xie: It's almost time for year-end reports. I ask everyone to please
prepare carefully. Today I want to discuss our corporate culture.

wáng wén　　wǒ jué de qǐ yè wén huà zài mù qián de jìng zhēng zhōng dì
王　文：我　觉　得 企　业　文　化　在　目　前　的　竞　争　中　地
wèi yuè lái yuè zhòng yào　wǒ men yīng gāi zhòng shì qǐ yè
位　越　来　越　重　要，我　们　应　该　重　视 企　业
wén huà de jiàn shè
文　化　的　建　设。

Wang Wen: I think corporate culture now plays an increasingly important
role in competition. We should pay more attention to building
corporate culture.

xiè zǒng　　wǒ tóng yì zhè ge guān diǎn　liáng hǎo de qǐ yè wén huà kě yǐ
谢　总：我　同　意 这　个　观　点。良　好　的 企　业　文　化　可　以
dài lái hé xié de rén jì guān xì　zhè duì wǒ men de qǐ yè fā zhǎn
带　来　和　谐　的　人　际　关　系，这　对　我　们　的 企　业　发　展
hěn zhòng yào
很　重　要。

Mr. Xie: I agree with that point. Good corporate culture helps to shape
better and more harmonious relationships and is very important
to the company's development.

dèng huá　　xiàn zài yuán gōng pǔ biàn fǎn yìng gōng sī de gōng zuò qì
邓　华：现　在　员　工　普　遍　反　映　公　司　的　工　作　气
fēn hǎo　wǒ jué de wǒ men de qǐ yè wén huà hái bú gòu xì
氛　好，我　觉　得　我　们　的 企　业　文　化　还　不　够　系
tǒng　hái yīng gāi jìn yí bù tí shēng gōng sī de jià zhí guān hé
统，还　应　该　进　一　步　提　升　公　司　的　价　值　观　和

xíng wéi zhǔn zé
行 为 准 则。

Deng Hua: So far, the staff have been providing positive feedback about the working environment and morale. I think our company culture has not been fully integrated. We should further continue to improve our value perception and behavior guidelines here.

yáng lì   wǒ jué de gēn jù gōng sī de tè diǎn   wǒ men yīng dāng qiáng
杨 立：我 觉 得 根 据 公 司 的 特 点 ，我 们 应 当   强

diào zé rèn hé chuàng zào zhè liǎng diǎn
调 "责 任"和" 创   造"这 两 点 。

Yang Li: Based on the characteristics of our company, we should stress two points, responsibility and creativity.

mǎ tāo   wǒ jué de wǒ men hái yīng dāng zhòng shì rén cái de fā zhǎn
马 涛：我 觉 得 我 们 还 应 当   重 视 人 才 的 发 展 。

Ma Tao: I think we should pay attention to employees' career development as well.

xiè zǒng   zuò wèi gōng sī de fù zé rén   wǒ men yīng dāng duì qǐ yè wén huà
谢 总 ：作 为 公 司 的 负 责 人，我 们 应   当 对 企 业 文 化

de jiàn shè qǐ dài tóu zuò yòng   wǒ men bì xū yǐ shēn zuò zé   cái
的 建 设 起 带 头 作 用，我 们 必 须 以 身 作 则，才

néng dài dòng zhěng gè gōng sī de fēng qì
能 带 动   整 个 公 司 的 风 气。

Ms. Xie: As managers of the company, we should take the lead in building our company culture. We, ourselves, must set good examples first so we can bring the entire company forward.

wáng wén   yǒu guān gōng sī de qǐ yè wén huà   wǒ jiàn yì yīng dāng tīng
王 文：有 关 公 司 的 企 业 文 化，我 建 议 应 当 听

qǔ guǎng dà yuán gōng de yì jiàn
取 广 大 员 工 的 意 见。

Wang Wen: I suggest that we should listen to our employees' suggestions and feedback regarding our corporate culture.

xiè zǒng　　zhè ge jiàn yì hěn hǎo　　wǒ men yīng dāng zhǔ dòng jiē jìn yuán
谢 总 ： 这 个 建 议 很 好 ， 我 们 应 当 主 动 接 近 员

　　　　 gōng　　cóng xiǎo shì zuò qǐ　　zhè yǒu lì yú wǒ men yíng zào
　　　 工 ， 从 小 事 做 起 。 这 有 利 于 我 们 营 造

　　　　 gèng hǎo de qǐ yè wén huà
　　　 更 好 的 企 业 文 化 。

Ms. Xie: That's a good suggestion. We should be proactive in approaching
employees and start from small things. It will be beneficial
in building a better corporate culture for our company.

词汇 Vocabulary

年终总结 nián zhōng zǒng jié
year–end report

普遍反映 pǔ biàn fǎn yìng
general response

提升 tí shēng
advance, elevate; step up

价值观 jià zhí guān
the system of value;
value perception

行为准则 xíng wéi zhǔn zé
behavior guidelines

系统 xì tǒng
system

责任 zé rèn
responsibility

创造 chuàng zào
creation; create

以身作则 yǐ shēn zuò zé
set oneself as an example to
others

营造 yíng zào
build, construct

相关用语 Relevant Expressions

全方位
quán fāng wèi / in all areas

优势
yōu shì / advantage

自上而下
zì shàng ér xià / from top to bottom

斗心眼
dòu xīn yǎn / battle of wits

奉献
fèng xiàn / dedication; offer

荣誉感
róng yù gǎn / glory, sense of honor

无形资产
wú xíng zī chǎn / intangible assets

令人舒心
lìng rén shū xīn / feel easy or comfortable; put someone at ease

人为
rén wéi / man-made, factitious

隔离
gé lí / isolation; separate

民意
mín yì / public opinion

软实力
ruǎn shí lì / soft power

> 语言文化小贴士
> *Language Tips*

hé xié
和谐

中国传统文化以和为贵、以人为本,强调人与人、人与自然的和谐。和谐,指的是和睦协调,比如"和谐的气氛"或者"和谐的关系",现在中国正在提倡"和谐社会"的发展观,"和谐"已经成为公众讨论的热点话题。

Chinese traditional culture emphasizes harmony among people and harmony between people and nature. "hé xié" means harmonious, balanced, such as "hé xié de qì fēn(harmonious atmosphere)", "hé xié de guān xì (harmonious relationship)". Now China is promoting the idea of Harmonious Society. Harmony has become a hot topic among the public.

● 练习 Exercises

1. 选词填空 Fill in the blanks with the words given below.

倒闭　　缺乏　　心态　　佩服　　关键

1）在金融危机中，大批公司都_____了。

2）一个人如果_____不好，做什么都不会顺利。

3）张经理办事公道，我很_____他。

4）我们的团队_____凝聚力。

5）只有把握了问题的_____所在，才能尽快解决问题。

2. 完成句子 Complete the following sentences.

1）他叫李飞，_____。（部门）

2）我在原来的公司里干了一年，_____。（觉得）

3）虽然很忙碌，_____。（做事）

4）我们必须以身作则，_____。（风气）

5）从小处做起，_____。（营造）

词汇表
Vocabulary

B

百分点	bǎi fēn diǎn / percent
拜访	bài fǎng / pay a visit; call on
办公用品	bàn gōng yòng pǐn / office supplies
办事处	bàn shì chù / office
报道	bào dào / report
抱怨	bào yuɑn / complain
背景	bèi jǐng / background
本地人	běn dì rén / native
边吃边谈	biān chī biān tán / talk and eat at the same time
补救措施	bǔ jiù cuò shī / remediation measure
不必要的	bú bì yào de / unnecessary
不见不散	bú jiàn bú sàn / be there or be square
不务正业	bú wù zhèng yè / not attend to one's proper work or duties
不如	bù rú / would be better
不像话	bú xiàng huà / unreasonable, disgraceful, outrageous
不足	bù zú / lack, shortage
布置	bù zhì / arrange

C

菜单	cài dān / menu
草案	cǎo àn / draft
草拟	cǎo nǐ / draw; sketch out

策划	cè huà/ plan
车间	chē jiān/ workshop
沉默	chén mò/ silent
称呼	chēng hu/ call; name title
成绩	chéng jì/ achievement
诚意	chéng yì/ sincere
承担损失	chéng dān sǔn shī/ bear the loss
澄清	chéng qīng/ clarify
吃顿便饭	chī dùn biàn fàn/ have a simple meal
持平	chí píng/ equal; keep balance
充裕	chōng yù/ abundant, sufficient
抽出时间	chōu chū shí jiān/ take some time out / off
抽奖	chōu jiǎng/ lucky draw
抽屉	chōu ti/ drawer
出差	chū chāi/ business trip
初来乍到	chū lái zhà dào/ arrive a moment ago; come just now; just arrived
传真机	chuán zhēn jī/ fax machine
创造	chuàng zào/ creation; create
辞职	cí zhí/ resign; quit one's job; send in one's resignation
促销	cù xiāo/ sales promotion

D

打招呼	dǎ zhāo hu/ greet someone; notify
打折	dǎ zhé/ discount
大幅降低	dà fú jiàng dī/ cut down extensively
大肆	dà sì/ wantonly; without restraint
待遇	dài yù/ treatment
单身贵族	dān shēn guì zú/ bachelorhood

耽误	dān wù/ delay
淡季	dàn jì/ a dead season; low season
当红	dāng hóng/ popular
当面	dāng miàn/ face to face
倒闭	dǎo bì/ close down; go bankrupt
到位	dào wèi/ reach the designated position
到此为止	dào cǐ wéi zhǐ/ settle, stop
得逞	dé chěng/ succeed, prevail
地址	dì zhǐ/ address
点菜	diǎn cài/ order dishes
点子	diǎn zi/ idea
电脑配置	diàn nǎo pèi zhì/ computer accessories; computer system, computer setup
调研	diào yán/ research and survey
订票	dìng piào/ book a ticket
丢了西瓜捡芝麻	diū le xī guā jiǎn zhī ma/ put aside a watermelon to picking up a sesame
动态	dòng tài/ trends, development, movement
动作	dòng zuò/ action, movement
多多指教	duō duō zhǐ jiào/ give advice or comments

F

反复	fǎn fù/ repeat; time after time; repeatedly
反馈	fǎn kuì/ feedback
方便	fāng biàn/ convenience
房地产	fáng dì chǎn/ real estate
风靡全球	fēng mí quán qiú/ popular around the world
福利政策	fú lì zhèng cè/ welfare policy; benefits policies
负面	fù miàn/ negative; lacks all positive, affirmative, or encouraging features

| 复印机 | fù yìn jī/ copy machine |

G

干杯	gān bēi/ cheers
赶紧	gǎn jǐn/ rush; hurry up
刚刚	gāng gāng/ just now
更新	gēng xīn/ update; refresh
公司精神	gōng sī jīng shén/ spirit of a company, company's philosophy
恭敬不如从命	gōng jìng bù rú cóng mìng/ Obedience is better than politeness.
共享	gòng xiǎng/ share
沟通	gōu tōng/ communicate
股价	gǔ jià/ share price
股市	gǔ shì/ stock market
怪不得	guài bu de/ so that's why; no wonder
关系	guān xì/ relationship
关注	guān zhù/ pay attention to
管理制度	guǎn lǐ zhì dù/ management system; management policies
过奖	guò jiǎng/ overpraise

H

合格率	hé gé lǜ/ product quality rate
合口味	hé kǒu wèi/ suit one's taste; be to one's liking or taste
合眼	hé yǎn/ close one's eyes; sleep
和谐	hé xié/ harmonious
互联网	hù lián wǎng/ the Internet

恍惚	huǎng hū/ as between sleeping and waking; a daze; out of it
回头	huí tóu/ later
会议议程	huì yì yì chéng/ meeting agenda

J

激烈竞争	jī liè jìng zhēng/ strong competition; fierce competition
集思广益	jí sī guǎng yì/ draw on the wisdom of the masses; brainstorm
忌口	jì kǒu/ avoid certain food
季度	jì dù/ season
加强培训	jiā qiáng péi xùn/ strengthen the training
家里人	jiā li rén/ family; one's family members
嘉奖	jiā jiǎng/ commendation bonuses; rewards
嘉兴	jiā xīng/ (name of a city)
价值观	jià zhí guān/ the system of value; value perception
简历	jiǎn lì/ resume
见见面	jiàn jian miàn/ meet; meet in person
见外	jiàn wài/ regard somebody as an outsider
降低成本	jiàng dī chéng běn/ reduce cost
交待	jiāo dài/ explain
接班人	jiē bān rén/ successor
接替	jiē tì/ relay, succeed; take over, transition from
解散	jiě sàn/ dismiss, disband
谨慎	jǐn shèn/ be cautious to; careful
尽快	jǐn kuài/ as soon as possible

尽力而为	jìn lì ér wéi/ try one's best
尽如人意	jìn rú rén yì/ have one's wish fulfilled
经历	jīng lì/ experience
经验丰富	jīng yàn fēng fù/ rich experience
经营理念	jīng yíng lǐ niàn/ idea of business; management or business principles
精打细算	jīng dǎ xì suàn/ pinch pennies
敬你一杯	jìng nǐ yì bēi/ toast to you
纠缠	jiū chán/ badger with; tangle
拒绝	jù jué/ refuse; turn down

K

考察	kǎo chá/ review; seeing about
考勤	kǎo qín/ check on work attendance
可行性	kě xíng xìng/ feasibility
肯定态度	kěn dìng tài du/ affirmative attitude

L

老套	lǎo tào/ a conventional, formulaic and oversimplified conception; oldfashioned
类似	lèi sì/ resemble; similar
例会	lì huì/ regular meeting
连续	lián xù/ continuous
联络方式	lián luò fāng shì/ way of contact
灵魂	líng hún/ ghost, soul, spirit
领导	lǐng dǎo/ lead leader
浏览	liú lǎn/ browse
略逊一筹	lüè xùn yì chóu/ be inferior to
轮流	lún liú/ in turn; take turns

落后   luò hòu/ drop behind; fall behind

M

埋怨   mán yuàn/ complain

马上   mǎ shàng/ at once, soon

满意答复   mǎn yì dá fù/ satisfactory reply

没问题   méi wèn tí/ no problem

秘书   mì shū/ secretary

面谈   miàn tán/ face-to-face interview

名不见经传   míng bú jiàn jīng zhuàn/ unknown;

     not famous; not well known

目标客户   mù biāo kè hù/ target clients; target customers

N

年终总结   nián zhōng zǒng jié/ year-end report

内线电话   nèi xiàn diàn huà/ inside line

P

派车   pài chē/ send the car

判断   pàn duàn/ judge, estimate

普遍反映   pǔ biàn fǎn yìng/ reflect at large; general

     response

Q

七嘴八舌   qī zuǐ bā shé/ babble

企划部   qǐ huà bù/ Planning Department

企业文化   qǐ yè wén huà/ corporate culture

起程   qǐ chéng/ depart

起飞   qǐ fēi/ take off

气氛	qì fēn/ atmosphere
歉意	qiàn yì/ regret
强求	qiǎng qiú/ importunity; force to
亲自	qīn zì/ in person
勤勤恳恳	qín qín kěn kěn/ industrious, assiduous in work or study; dedicated, studious
屈居第二名	qū jū dì èr míng/ occupy the second place
全力配合	quán lì pèi hé/ fully cooperate with someone
缺乏	quē fá/ lack/ lack of

R

热情	rè qíng/ passionate, zealous
热衷于	rè zhōng yú/ be wild about; be passionate about
人际关系	rén jì guān xì/ personal relationship
人力资源部	rén lì zī yuán bù/ Human Resource Department
日程安排	rì chéng ān pái/ schedule; arrangement

S

丧失信心	sàng shī xìn xīn/ lose one's confidence
擅长	shàn cháng/ be good at excel
上司动动嘴，下属跑断腿	shàng si dòng dòng zuǐ, xià shǔ pǎo duàn tuǐ/ The subordinate runs to death with a word said by the boss.
上瘾	shàng yǐn/ be addicted
捎东西	shāo dōng xi/ take something to others for someone

稍等一会儿	shāo děng yí huìr/ wait for a little bit
舍不得	shě bu de/ hate to part with; be reluctant to
涉及	shè jí/ involved, related
生产成本	shēng chǎn chéng běn/ production cost
生产流程	shēng chǎn liú chéng/ production process
失眠	shī mián/ insomnia
失误	shī wù/ mistake
什么玩意儿	shén me wán yìr/ What in the world?
实地了解	shí dì liǎo jiě/ to research or investigate on the spot
市场营销	shì chǎng yíng xiāo/ marketing, sales
试点	shì diǎn/ experimental unit; pilot
受雇	shòu gù/ be hired
受人之托,忠人之事	shòu rén zhī tuō, zhōng rén zhī shì/ entrusted by the other, do things for the other
授权	shòu quán/ authorization; delegate; empower
疏忽	shū hū/ neglect; carelessness
司机	sī jī/ driver, chauffeur
思路	sī lù/ thought; the way of thinking
搜索	sōu suǒ/ search
随时	suí shí/ at any moment; anytime
损失	sǔn shī/ loss
损失惨重	sǔn shī cǎn zhòng/ disastrous; heavy loss

T

提升	tí shēng / improve, advance, raise
听听	tīng ting/ listen to
挺好	tǐng hǎo/ very good, pretty good

通报	tōng bào/ report, notify
投机	tóu jī/ venture, gamble
透明度	tòu míng dù/ transparency
团队	tuán duì/ team
推广	tuī guǎng/ extend, spread
推荐	tuī jiàn/ recommendation
退货	tuì huò/ return products for a refund
拖欠货款	tuō qiàn huò kuǎn/ default on the payment for goods

W

挽留	wǎn liú/ persuade someone to stay; urge someone to stay
亡羊补牢	wáng yáng bǔ láo/ mend the fold after a sheep is lost
网管	wǎng guǎn/ administrator of networks, network support
网络游戏	wǎng luò yóu xì/ online game
网上预订	wǎng shang yù dìng/ reserve online
旺季	wàng jì/ bloom season; high season; busy season
为人	wéi rén/ humanness; the kind of person; personal characters
违反	wéi fǎn/ disobey violate
无事不登三宝殿	wú shì bù dēng sān bǎo diàn/ would not go to one's place except for something or for help, etc; only goes to the temple when one is in trouble

X

息怒	xī nù/ ease one's anger
系统	xì tǒng/ system
瞎忙	xiā máng/ busy
羡慕	xiàn mù/ envy
效率	xiào lǜ/ efficiency
歇歇	xiē xie/ have a rest; take a break
协助	xié zhù/ assist, help
心服口服	xīn fú kǒu fú/ be convinced
薪资	xīn zī/salary
信得过	xìn de guò/ trust-worthy
信誉	xìn yù/ reputation
行为准则	xíng wéi zhǔn zé/ behavior guidelines
型号	xíng hào/ type, model
休息	xiū xi/ rest / break; take a break
续签合同	xù qiān hé tong/ continue the contract, renew the contract
学历	xué lì/educational background
学位	xué wèi/ degree

Y

压抑	yā yì/ oppression, depression
延长	yán cháng/ extend, delay
严重	yán zhòng/ serious
言归正传	yán guī zhèng zhuàn/ get down to business
业绩滑坡	yè jì huá pō/ drop in sales
一贯	yí guàn/ all along; persistent
一路顺风	yí lù shùn fēng/ have a nice trip
一轮	yì lún/ a round, one round

一塌糊涂   yí tā hú tú/ in a complete mess

以身作则   yǐ shēn zuò zé/ set oneself as an example to others

抑郁症   yì yù zhèng/ hypochondria, depression

因小失大   yīn xiǎo shī dà/ spoil the ship for a halfpennyworth of tar; lost something big for something small

引导   yǐn dǎo/ to show or indicate the way for; orient

饮水机   yǐn shuǐ jī/ water dispenser

应对   yìng duì/ replay, respond

营造   yíng zào/ build, construct

影响   yǐng xiǎng/ influence

优化   yōu huà/ optimize

优惠   yōu huì/ favorable; discount

哟   yōu/ hey (usually with surprise)

有事相求   yǒu shì xiāng qiú/ need help with something

余地   yú dì/ space, leeway

鱼米之乡   yú mǐ zhī xiāng/ a land flowing with fish and rice

预算   yù suàn/ budget

员工手册   yuán gōng shǒu cè/ employee manual

原则上   yuán zé shang/ in principle

Z

咱们   zán men/ we; us

暂时   zàn shí/ for the moment; temporarily

赞同   zàn tóng/ agree with

责任   zé rèn/ responsibility

赠送	zèng sòng/ donate towards; present
展示会	zhǎn shì huì/ the meeting for exhibition; show; exhibit
账期	zhàng qī/ time for accounts; account deadline
针锋相对	zhēn fēng xiāng duì/ tit for tat (direct competition)
振作	zhèn zuò/ cheer up; pull oneself together
直接	zhí jiē/ directly
职位	zhí wèi/ position
职务	zhí wù/ headship job title
质量	zhì liàng/ quality
主管	zhǔ guǎn/ director, supervisor
主人翁	zhǔ rén wēng/ master; someone who has ownership
专题	zhuān tí/ special topic
专业对口	zhuān yè duì kǒu/ be geared to the needs of the job; right fit for the job
转一转	zhuàn yí zhuàn/ look around
资金到账	zī jīn dào zhàng/ funds going into account
粽子	zòng zi/ dumpling made of glutinous rice wrapped in bamboo or reed leeves
最新资料	zuì xīn zī liào/ latest material

责任编辑：翟淑蓉
封面设计：古　手
插　　图：宋琪
印刷监制：佟汉冬

图书在版编目（CIP）数据

职场口语／李淑娟主编.—北京：华语教学出版社，2007
（脱口说汉语）
ISBN 978-7-80200-380-4

Ⅰ. 职…　Ⅱ.李…　Ⅲ.汉语－口语－对外汉语教学－教材
Ⅳ. H195.4

中国版本图书馆CIP数据核字（2007）第140949号

脱口说汉语·职场口语

主编　李淑娟

英文改稿　Jenny Yang

*

© 华语教学出版社
华语教学出版社出版
（中国北京百万庄大街24号　邮政编码 100037）
电话：(86)10-68320585
传真：(86)10-68326333
网址：www.sinolingua.com.cn
电子信箱：hyjx@ sinolingua.com.cn
北京外文印刷厂印刷
中国国际图书贸易总公司海外发行
（中国北京车公庄西路35号）
北京邮政信箱第399号　邮政编码100044
新华书店国内发行
2007年（32开）第一版
（汉英）
ISBN 978-7-80200-380-4
9-CE-3849P
定价：29.90元